Bernhard Gelderblom

Fotos von Sigurd Elert

Hameln

Bilder aus der Stadt des Rattenfängers

Pictures from the town of the pied piper

CW Niemeyer

Blick auf Hameln vom Klüt

View of Hameln from the Klüt

Bibliographische Information der Deutschen Bibliothek
Die Deutsche Bibliothek verzeichnet diese Publikation
in der Deutschen Nationalbibliographie;
Detaillierte bibliographische Daten
sind im Internet über http://dnb.ddb.de abrufbar

© 2005 CW Niemeyer Buchverlage GmbH, Hameln
www.niemeyer-buch.de
Konzept und Gestaltung: Jörg Mitzkat
ISBN 3-8271-9054-1
Printed in Germany. Alle Rechte vorbehalten

Bildnachweis:
Die Zahlen geben die Seiten an
(Abkürzungen: o=oben, u=unten, li=links, re=rechts)
WFL-Würzburg und Sparkasse Weserbergland Hameln: 6
Ulf Salzmann: Luftbilder Landkreis Hameln-Pyrmont: 7
Bernhard Gelderblom: 9u, 19, 20u
Joachim Schween: 15, 23 (2),
Michael Zapf: 18 ore+u, 19re, 31o

Inhalt   Summary

Sommaire   目次

Einleitung

Marktkirche und Hochzeitshaus
Marktkirche (church) and Hochzeitshaus
(Wedding House)

Hameln – weit bekannt als „Stadt des Rattenfängers", „Juwel der Weserrenaissance", „Zentrum des Weserberglandes"! Was macht das Besondere dieser Stadt aus?

An erster Stelle ist hier der Reiz der Altstadt zu nennen. Sie hat ihre im späten Mittelalter angelegten Proportionen bewahrt. Das Besondere der Altstadt liegt in ihrer Vielfalt. Da finden sich die hohen, schlichten Giebel der späten Gotik, die reich gestalteten Fachwerk- und Steinfassaden der Renaissance, die steilen Mansarddächer der Barockzeit, die verspielten Erker und Ecktürme aus der Zeit von Historismus und Jugendstil und erst aus jüngster Zeit die flachen Dächer von Sparkassen und Kaufhäusern. Die ausgeprägten Formen verschiedener Zeiten klingen in vollem Akkord zusammen.

In der Altstadt liegen alle Sehenswürdigkeiten auf überschaubarem Raum nahe beieinander. Die beiden Hauptstraßen der Stadt, die Bäcker- und die Osterstraße, sind geprägt durch die eleganten Steinfassaden der Weserrenaissance. Geht man in die benachbarten Gassen, so findet man reich verzierte Fachwerkhäuser. Die am Rande der Altstadt liegenden kleinen Gassen, die sich der Rundung der Stadtmauer anpassen, bieten mit ihren bescheidenen Häusern ein besonders bewegtes und malerisches Bild.

Die Altstadt ist mit viel Glück durch mehrere Gefährdungen relativ unbeschadet hindurch gegangen. Die nicht unerheblichen Kriegszerstörungen des Zweiten Weltkrieges konnten durch behutsam eingefügte Neubauten ersetzt werden. Glücklich bewahrt wurde die Altstadt vor allem vor dem Modernisierungswahn der 1970er Jahre, der ganze Viertel der Abrissbirne opfern wollte. Nach Bürgerprotesten trat an die Stelle der Flächensanierung die sorgfältige Sanierung der vorhandenen Bausubstanz, die in Hameln zu einem glücklichen und allseits anerkannten Ergebnis führte.

Es gibt in Deutschland keine andere Stadt, mit deren Name sich so fest eine berühmte Sage verbindet. Die Rattenfängersage hat Hameln weltbekannt gemacht. Die Faszination dieser unheilvollen Sage, deren Kern auf Dauer rätselhaft bleiben wird, wird fortdauern. Wer Hameln besucht, findet im Stadtbild noch sichtbare Zeugen aus der fernen Zeit des „Auszugs der Hämelschen Kinder" im Jahre 1284.

Introduction

Hameln – famed as the town of the "Pied Piper", "Jewel of the Weser Renaissance", "Centre of the Weser Bergland"! So what is so special about this town?

First of all, there is the delightful old town, which has retained its original proportions from the late Middle Ages. The particular attraction of the old town is its variety. This includes the tall unadorned gables of the late Gothic period, the lavish half-timbered and stone facades of the Renaissance, the steep mansard roofs of the Baroque, the fetching oriels and corner towers from the age of Historicism and Art Nouveau and the more recent flat roofs of the banks and department stores. The characteristic styles of the different ages blend together in perfect harmony.

In the old town all tourist sights are close together, making them easy to find. The two main streets of the town, Bäckerstraße and Osterstraße, are characterised by their elegant stone facades in the Weser Renaissance style. If visitors venture further into the adjacent alleyways, they will discover ornately decorated half-timbered houses. The narrow alleys on the edge of the old town follow the curve of the city wall, making an especially animated and attractive impression with their modest little houses.

Despite the threats of the past, the old town has luckily remained relatively unscathed. The not insignificant damage from the Second World War has been made good by the careful addition of new buildings. The old town has been fortunately spared above all by the craze for modernisation seen in the 1970s, when entire districts were demolished. Following protests from the citizens the planned zone-based redevelopment was replaced by careful restoration of the existing structures, producing a satisfactory result in Hameln that is acknowledged on all sides.

There is no other town in Germany whose name is so firmly linked to a well-known legend. The legend of the Pied Piper has brought Hameln worldwide fame. The fascination of this cataclysmic legend, whose essence will long remain a mystery, will never fade. Around the town visitors to Hameln will notice the still visible testimony to the "Exodus of the Children of Hameln" dating back many years in 1284.

Linke Seite:
Luftbild der Altstadt aus dem Jahre 1995. Der Blick geht in Richtung Osten. Die Gestalt der mittelalterlichen Stadt ist im Wesentlichen bis heute intakt erhalten. Die Stadt weist die Form eines Dreiviertelkreises auf, der im Westen von der Weser begrenzt wird. Der Stiftsbezirk mit dem Münster liegt im Südwesten der Stadt. Er ist die Keimzelle der Stadtentwicklung. Das Zentrum der Kaufmannsstadt wird gebildet aus Marktkirche und Hochzeitshaus.

On left:
Aerial view of the old town dating from 1995, looking eastwards. The face of the mediaeval town has remained more or less intact to the present day. The town is in the shape of a three-quarter circle, which is bordered in the west by the Weser river. The Stiftsbezirk (cathedral chapter district) with the minster can be found in the southwest of the town and represented the focal point for its development. The centre of the mercantile city is right in the middle of the town, formed by the Marktkirche and Hochzeitshaus.

Luftbild von Marktkirche und Hochzeitshaus aus dem Jahre 2004.
Im Sommer wird die Hochzeitshausterrasse zur Bühne für die „Rattenfängerspiele" und das Musical „Rats".

Aerial view of the Marktkirche and Hochzeitshaus dating from 2004.
In summer the terrace of the Hochzeitshaus becomes the stage for the "Pied Piper" performances and the musical "Rats".

Die Osterstraße ist die breiteste Straße der Altstadt. Sie bildet zusammen mit der Bäckerstraße das Gerüst der Hauptstraßen. Nur an diesen beiden Straßen stehen die vornehmen Steinhäuser aus der Zeit des Mittelalters und der Renaissance. Hier residierten die Kaufleute und Fernhändler.

Osterstraße is the widest street in Hameln, forming the main structure of the town with Bäckerstraße. It is only in these two streets that the elegant stone houses dating from the Middle Ages and Renaissance can be found. They were once home to merchants and overseas traders.

Brunnen auf dem Pferdemarkt
Fountain at Pferdemarkt {ross market}

Die Fachwerkhäuser Osterstraße 17 – 19 geben mit ihrer lebendigen Dachlandschaft ein eindrucksvolles Beispiel der Bauweise des späten 18. Jahrhunderts.

With their interesting roof landscape the half-timbered houses at Osterstraße 17-19 are a striking example of the architectural style of the late 18th century.

Im Zentrum der Altstadt fügen sich Bauten aus Renaissance, Biedermeier, Gründerzeit und Moderne zu einem harmonischen Bild.

In the centre of the old town buildings from the Renaissance, Biedermeier, Wilhelminian and Modern age combine to create a harmonious picture.

Die Bäckerstraße, die zweite Hauptstraße der mittelalterlichen Stadt, im Lichte der Herbstsonne.
Bäckerstraße, the second main street in this mediaeval town, in the rays of the autumn sun.

Die elf Meter hohe Weihnachtspyramide in der Osterstraße.
Jedes Jahr im Dezember stehen die Buden des Weihnachtsmarktes rund um die Marktkirche und in der Osterstraße. Der Hamelner Weihnachtsmarkt gilt als einer der schönsten in Norddeutschland.

The eleven-metre high Christmas Pyramid in Osterstraße.
Every year in December the stands of the Christmas market can be found around the Marktkirche and in Osterstraße. Hameln's Christmas market is considered to be one of the finest in Northern Germany.

Die Wendenstraße verbindet die Bäckerstraße mit der Weser. In den schmalen Gassen abseits von Osterstraße und Bäckerstraße waren früher die Wohn- und Arbeits-
stätten der Handwerker und der Krämer.
Wendenstraße links Bäckerstraße with the
Weser. In the narrow alleys away from
Osterstraße and Bäckerstraße the dwellings
and workplaces of the craftsmen and small
shopkeepers could once be found.

Die Kupferschmiedestraße verläuft in leich-
tem Bogen parallel zur Weser.

Kupferschmiedestraße runs parallel to the
Weser in a slight curve.

Die Alte Marktstraße zählt zu den ältesten
Straßen der Stadt. Sie hat ihr altertümli-
ches Aussehen sehr gut bewahren können.
Der Blick nach Osten (oben) zeigt im Hin-
tergrund die Giebelfront der 1936 fertig
gestellten Feuerwache.
Der Blick nach Westen (rechts) gibt den
Blick auf den Turm des Münsters frei.

Alte Marktstraße is one of the town's
oldest streets and has remained largely
unchanged since olden days.
Looking eastwards (above), we can see in
the background the gabled front of the fire
station completed in 1936.
Looking to the west (right), we see the
tower of the minster.

Die Große Hofstraße zählt zu den Mauerstraßen. Sie passt sich der Rundung der
Stadtmauer an und zeigt die beschei-
densten Häuser. Mit wechselnden Traufen-
höhen und kleinteiliger Fassadengliederung
bietet sie ein besonders malerisches Bild.
Große Hofstraße is one of the streets along
the city walls. It follows the curve of the
wall and is made up of very modest little
buildings. With the variations in the
heights of the eaves and detailed façade
structure it makes a particularly attractive
impression.

Im Osten erweitert sich die Alte Marktstraße zu einem der reizvollsten und
geschlossensten Räume der Altstadt. Hier
mündet die an der Mauer verlaufende
Große Hofstraße ein. Der Blick fällt auf
den letzten noch erhaltenen Adelshof
Hamelns, den Redenhof.

In the east Alte Marktstraße widens to
become one of the most delightful and harmonious areas in the old town, joining
Große Hofstraße which runs along the city
walls. Here we find the last aristocratic
dwelling still to be seen in Hameln, the
Redenhof.

Das Münster St. Bonifatius.
Nur wenige Schritte von der Weser entfernt liegt am Südrand der Hamelner Altstadt das evangelische Münster St. Bonifatius. Die Ursprünge der Kirche gehen bis ins 9. Jahrhundert zurück. Die heutige romanisch-gotische Gestalt der dreischiffigen Hallenkirche mit hohem Chor entstand im Wesentlichen im 13. Jahrhundert.

Seit dem Jahre 1803 wurde der Bau nicht mehr für Gottesdienste, sondern als Stall und Warenlager genutzt. Das Gebäude verwahrloste dabei stark und drohte abgebrochen zu werden. Nach jahrelangen Bemühungen wurde die Kirche in den Jahren 1870 – 1875 wieder hergestellt.

1970 – 1976 wurde das Innere des Münsters zu einem offenen Saal umgestaltet, der Möglichkeiten nicht nur für Gottesdienste, sondern für Veranstaltungen verschiedener Art bietet. Dafür wurde der neugotische Hochaltar in der Vierung entfernt. Der Blick geht frei von der Taufkapelle im Westturm bis zum Fenster des Hohen Chores.

The Minster of St. Bonifatius.
The Protestant Minster of St. Bonifatius can be found a short distance from the Weser on the southern edge of Hameln's old town. The origins of the church go back to the 9th century. Today's Romanesque-Gothic structure of a three-aisled hall church with a high chancel was mostly built in the 13th century. From 1803 the building was not used for religious services but to accommodate livestock and to store goods. The structure fell into disrepair and almost had to be demolished. After efforts lasting many years the church underwent restoration in 1870 – 1875. In 1970-1976 the interior of the minster was converted into an open hall, allowing it to be used not only for church services but also for various types of events. The neo-Gothic high altar in the crossing was removed for this purpose. For visitors the eye is free to roam from the baptistery in the west tower to the window of the high chancel.

Die mit Bogenfriesen streng gegliederte Elisabeth-Kapelle wurde um 1250 an den südlichen Arm des Querhauses angebaut.
The Chapel of St. Elizabeth with its strict structure featuring corbel tables was built onto the south arm of the transept circa 1250.

Das reich gestaltete Hauptportal des Münsters wurde bei der Restaurierung um 1870 erneuert.
The ornate main portal of the minster was renewed on restoration carried out around 1870.

In der Südostecke des Hohen Chores steht das zur Aufbewahrung der geweihten Hostien geschaffene Sakramentshaus, ein von Säulen getragener Schrein aus der Zeit um 1270/80.

In the southeast corner of the high chancel we can see the tabernacle provided for safekeeping of the consecrated wafers, a shrine supported by pillars dating from around 1270/80.

Durch das Hauptschiff der Kirche geht der Blick nach Osten in den Hohen Chor.
We can look eastwards through the church nave into the high chancel.

Der intime Raum der romanischen Krypta des Münsters stammt aus dem 11. Jahrhundert.
The Romanesque crypt of the minster with its intimate atmosphere dates back to the 11th century.

Rechts neben dem Treppenaufgang zum Chor befindet sich der Stifterstein. Abgebildet sind der Graf Bernhard und seine Frau Christina mit dem Modell des Münsters. Die Umschrift am Rand besagt, dass beide im Jahre 712 die Kirche gegründet haben. Während das Kirchenmodell recht realistisch ausgefallen ist, basiert das Gründungsdatum lediglich auf einer Legende.

To the right of the stairway leading to the chancel we see the founders' stone, showing Count Bernhard and his wife, and a model of the cathedral. The inscription around the edge states that they both founded the church in 712. While the model is very realistic, the date of founding is merely based on legend.

Von höchstem Reiz ist die von musizierenden Engeln umgebene Madonna auf der Mondsichel. Sie befindet sich an der Ostwand des nördlichen Querarmes der Kirche. Das Sandsteinrelief wurde um 1410 von einem Künstler geschaffen, der sich bestens mit den Musikinstrumenten seiner Zeit ausgekannt haben muss. Die von den Engeln gespielten Blas-, Zupf- und Schlaginstrumente sind so authentisch dargestellt, dass ihr Nachbau gelingen würde.

A delightful feature to be found on the eastern wall of the north transept is the Madonna on the crescent moon surrounded by angels making music. The sandstone relief was created circa 1410 by an artist who was extremely familiar with the musical instruments of his time. The wind, plucked string and percussion instruments played by the angels look so authentic, they could be reproduced from this picture.

Der stattliche hochragende Bau der Kurie Jerusalem wurde als Speicher genutzt. Bei der Kurie Jerusalem dürfte es sich um den ältesten Fachwerkbau der Stadt handeln. The magnificent soaring structure of the Curia Jerusalem was used as a storehouse. This curia is probably the oldest half-timbered building in the town.

Die Chor- oder Stiftsherren des Münsters St. Bonifatius mussten nicht in der Abgeschiedenheit des Klosters leben, sondern konnten sich ringsum ihre eigenen Höfe, Kurien genannt, bauen. Ihnen oblag die Verwaltung der reichen Stiftsländereien. The canons or capitals of the Minster of St. Bonifatius were not obliged to live in the seclusion of the monastery but were permitted to built their own houses, the so-called curiae, around it. They were responsible for administration of the prosperous estates of the cathedral chapter.

Die Kurie Walthausen in der Papenstraße 9 trägt ihren Namen nach dem Stiftsherrn Jobst von Walthausen. Dieser übernahm die Kurie im Jahre 1566. The Curia Walthausen in Papenstraße 9 was named after Canon Jobst von Walthausen, who took over this curia in 1566.

Die Marktkirche.

An zentraler Stelle innerhalb der Altstadt steht die dem Patron der Kaufleute geweihte gotische St. Nicolai-Kirche. Im April 1945, in den letzten Kriegstagen des Zweiten Weltkrieges, wurde die Kirche fast vollständig zerstört. In den Jahren 1957 – 1959 baute man sie in ihrer ursprünglichen Gestalt wieder auf. Das Innere wurde allerdings völlig neu gestaltet. Allein der gotische Chor konnte sein ursprüngliches Aussehen bewahren.

Marktkirche (market church).

In a central position in the old town stands the Gothic St. Nicolai-Kirche (church) dedicated to the patron saint of merchants. In April 1945, in the final days of the Second World War, the church was almost completely destroyed but it was rebuilt in its original form between 1957 – 1959. However, the interior was entirely redesigned - only the Gothic chancel has retained its original appearance.

21

Der Haspelmaths-Turm ist neben dem Pulverturm der einzige heute erhaltene Stadtturm.
Besides the Pulverturm (Powder Tower) the Haspelmaths-Turm is the only city tower remaining today.

Das schlichte Haus Bäckerstraße 43 ist eines der ältesten Häuser der Stadt. Es entstand vermutlich um 1300. Der Giebel, der ursprünglich als Treppengiebel gestaltet war, hat durch das Aufsetzen eines zusätzlichen Speichergeschosses eine auffällig asymmetrische Form erhalten. In der Zeit der Renaissance wurde die bescheidene Utlucht angebaut.
The plain building to be found at Bäckerstraße 43 is one of the oldest houses in the town and was probably built around 1300. The gable, which was originally designed as a stepped gable, has an eye-catching asymmetrical form following the addition of an extra attic floor. The modest bay window was added in the Renaissance period.

Die gotischen Steinhäuser.

Die an den Hauptstraßen der Stadt stehenden Steinhäuser sind Zeugnis für den Wohlstand der Kaufleute und Fernhändler. Früher dominierten in Hameln die mit Stroh gedeckten Fachwerkbauten. Wer in der Lage war, ein teures Steinhaus zu bauen, wollte seinen Wohlstand zeigen, schützte aber auch sein Hab und Gut besser vor den gefürchteten Bränden, die ganze Stadtviertel in Asche legten.

Gothic stone houses.

The stone houses on the main streets of the town testify to the affluence of the merchants and overseas traders. Previously Hameln had been dominated by thatched half-timbered buildings. Anyone who was able to build one of these costly stone houses not only wanted to show off his wealth but was also ensuring better protection for his worldly goods from the dreaded fires, which reduced entire quarters of the town to ashes.

The wide stone building at Bäckerstraße 12 houses the Löwenapotheke (apothecary). Visitors approaching Bäckerstraße from Wendenstraße will find their eyes drawn to this splendid edifice.
The house was built circa 1300 and features Gothic arched windows in the gable. At the top of the gable we can see a round-arched window with a six-cornered figure (hexagram) which was intended to ward off the evil eye of neighbours.

Das breite Steinhaus Bäckerstraße 12 birgt heute die Löwenapotheke. Wer sich der Bäckerstraße aus der Wendenstraße nähert, dem dient dieses prächtige Haus als Blickfang.
Das Haus wurde um 1300 errichtet und zeigt im Giebel gotische Bogenfenster. In der Giebelspitze befindet sich ein Rundfenster mit einem Sechseck (Hexagramm). Es hat die Aufgabe, den bösen Blick des Nachbarn zu bannen.

Das um 1500 errichtete Eckhaus Pferdemarkt 10 ist eines der ältesten Fachwerkhäuser der Stadt. Es steht in prominenter
Lage an der Einmündung der Emmernstraße in den Pferdemarkt.
The corner house built at Pferdemarkt 10
around 1500 is one of the oldest half-timbered houses in the town. It stands in a
prominent position where Emmernstraße
joins Pferdemarkt.

Der Fachwerkbau der Gotik.

Das Gesicht der Stadt wird heute von zahlreichen Fachwerkhäusern geprägt. Einige der stattlichsten Häuser gehören noch in die späte Gotik des frühen 16. Jahrhunderts.

Alle aus dieser Zeit in Hameln erhaltenen Häuser stehen mit ihrem hohen Giebel zur Straße. Mit Holz wurde nicht gespart, da die Wälder noch ausreichend Eichenholz lieferten.

Die beiden unteren Geschosse sind in Ständerbauweise errichtet. Die senkrecht stehenden Holzpfosten laufen in einem Stück vom Sockel des Hauses bis zur Oberkante des ersten Geschosses durch. Das zweite Obergeschoss ist dagegen als eigenständiges Stockwerk aufgezimmert und kragt deutlich über die beiden Untergeschosse hervor.

Die Verzierungen an den Häusern sind betont einfach, so wie sie der Zimmermann mit dem Stemmeisen und der Axt aus dem Holz herausarbeiten konnte. Die massiven dreieckigen Winkelhölzer sind nicht beschnitzt. Erst in der beginnenden Renaissance werden ihre Flächen mit der halbkreisförmigen Fächerrosette gefüllt.

Half-timbered Gothic architecture.

Today the face of the town is characterised by numerous half-timbered houses. Some of the finest buildings date back to the late Gothic period of the early 16th century.

All houses from this time in Hameln face the street with their high gables. Wood was used in abundance as the forests still provided plenty of oak.

The two lower stories are built in a post-and-beam construction. The vertical wooden posts run in one piece from the base of the structure to the upper edge of the first floor. The second storey on the other hand is built as a separate floor and projects well over the two lower floors.

The ornamentation on the buildings is simple, as hewn from the wood by the carpenter with chisel and axe. The solid triangular sections of wood were not carved, and it was not until the start of the Renaissance that they were adorned with semicircular fanlike rosettes.

Die Einmündung der Alten Marktstraße in die Bäckerstraße beherrscht das prächtige Haus Bäckerstraße 21. Das dreigeschossige Eckhaus wurde vermutlich zu Anfang des 16. Jahrhunderts erbaut.

The spot where Alte Marktstraße joins Bäckerstraße is dominated by a splendid building at Bäckerstraße 21. This three-storey corner house was probably built at the beginning of the 16th century.

25

Das Fachwerk der Renaissance präsentiert sich uns mit überaus reich geschnitzten Fassaden. Das Eckhaus Kupferschmiedestraße 13 / Wendenstraße wurde 1560 gebaut. Mit seinen plastischen Fächerrosetten, den Taubändern und Inschriften ist es reich verziert. Die Rosette als dominierendes Verzierungsmotiv der Renaissance ist in verschiedenen Varianten vertreten. Nicht alle jedoch sind original, sondern auf die Restaurierung des Gebäudes im Jahre 1988 zurückzuführen. Auch die starke Farbigkeit der Verzierungen entspricht eher dem Zeitgeschmack der 1980er Jahre.

The half-timbering of the Renaissance period features highly ornate carved façades. The corner house at Kupferschmiedestraße 13/Wendenstraße was built in 1560 and is richly decorated with striking fanlike rosettes, ropework and inscriptions. The rosette as a important decorative motif of the Renaissance can be seen in several variations although not all are original, some dating from restoration of the building in 1988. The bright colours of the adornments also is more in line with the taste of the 1980s.

Der Anbau des Eckhauses Kupferschmiedestraße 13 in der Wendenstraße ist der
prächtigste Teil des Hauses.
The extension added to the corner house
at Kupferschmiedestraße 13 in Wendenstraße is the finest part of this building.

Das Haus Neue Marktstraße 23 zeigt in
seinen Verzierungen eine reizvolle Leben-
digkeit und Regellosigkeit. Die Rosetten
über dem Tor springen in der Höhe hin
und her und überschneiden sich zum Teil.
Der runde Bogen des Tores wird von Tau-
werk gebildet.

The house to be found at Neue Marktstraße 23 shows a delightful feeling of vita-
lity and irregularity in its decoration. The
rosettes leap about above the entrance,
sometimes overlapping with each other.
The round arch of the entrance is
fashioned from ropework.

Das aus der Frühzeit der Renaissance stammende Stiftsherren-haus, Osterstraße 8, ist das prächtigste Fachwerkgebäude Hamelns. Es wurde in den Jahren 1556 – 1558 erbaut. Bauherr des Hauses war der Ratsherr und zeitweilige Bürgermeister Friedrich Poppendieck, der es durch Kornhandel und Grundstücksspekulationen zu großem Wohlstand gebracht hatte. Das Haus ist niemals Sitz eines Geistlichen gewesen, so dass die Bezeichnung Stiftsherrenhaus unzutreffend ist.

The Stiftsherrenhaus (Canon's House) at Osterstraße 8 dating from the early Renaissance period is Hameln's finest half-timbered building. It was constructed between 1556 – 1558 at the request of the alderman and one time Mayor Friedrich Poppendieck, who had acquired great wealth by trading in corn and through property speculation. As the house was never home to a cleric, the name "Canon's House" is not appropriate.

Einzigartig machen das Haus die mit kostbarem Figurenschmuck versehenen Knaggen. In der unteren Reihe der Knaggenfiguren sind Gottvater und die Apostel dargestellt, in der mittleren Reihe alttestamentliche Figuren und in der oberen Reihe Planetengottheiten nebst Sternbildern.

This house is unique with its carvings featuring sumptuous decorative figures. In the bottom row of carved figures we can see God the Father and the apostles, in the middle row figures from the Old Testament and in the top row, planetary gods together with signs of the zodiac.

Höhepunkt der Schnitzerei ist diese an der Hausecke angebrachte Dreierknagge. Der Engel greift in das Schwert, mit dem Abraham seinen Sohn Isaak opfern will. Links ist der Apostel Matthäus mit der Hellebarde dargestellt, rechts eine grotesk verzerrte Maske zur Abwehr böser Geister.

The highlight of these carvings is the group of three figures to be seen at the corner of the building. The angel has seized the sword Abraham has taken up to sacrifice his son Isaac. On the left we can see the apostle Matthew with a halberd while on the right there is a grotesque face to ward off evil spirits.

Das stattliche dreistöckige Haus mit seinem riesenhaften Dach unterscheidet sich von sämtlichen Fachwerkbauten der Stadt dadurch, dass es nicht den Giebel, sondern die Traufenseite des Daches der Straße zukehrt.

This magnificent three-storey house with its enormous roof differs from all other half-timbered buildings in the town by facing the street not with its gable but the eaves side of the roof.

Der unheilvolle Saturn verschlingt nach der Sage seine eigenen Kinder.

Malevolent Saturn is portrayed swallowing his own children as in the legend.

König David spielt die Harfe.

King David is shown playing the harp.

Der Heidenapostel Paulus trägt Buch und Schwert.

Paul, the Apostle to the Gentiles, is seen bearing a book and sword.

Der Rattenkrug in der Bäckerstraße 16 ist das früheste Beispiel der Hamelner Renaissancebauten. Der Patrizier Johann Rike ließ seit 1556 sein altes gotisches Steinhaus durch den aus Hameln gebürtigen Steinmetz Cord Tönnies umbauen.

Die neue Fassade ist sparsam geschmückt und außerordentlich harmonisch in den Proportionen. Der steile Stufengiebel mit den s-förmigen Voluten ist durch Gesimse streng horizontal gegliedert. Die hohe und schmale zweigeschossige Utlucht greift die Gesamtfassade im Kleinen auf.

Den Namen „Rattenkrug" trägt dieses wohl schönste der Hamelner Weserrenaissancegebäude, seit dort 1890 die gleichnamige Gaststätte eingerichtet wurde.

The Rattenkrug at Bäckerstraße 16 is the earliest example of Renaissance architecture in Hameln. In 1556 the patrician Johann Rike entrusted the stonemason Cord Tönnis, who was born in Hameln, with conversion of his old Gothic-style stone house.

The new façade has little adornment and is extremely well proportioned. The steep stepped gable with S-shaped scrolling features a strict horizontal structure due to its cornices. The long thin two-floor bay window is a reflection of the whole façade in miniature.

What must be Hameln's finest Weser Renaissance building acquired the name "Rattenkrug" when a tavern of this name came into being here in 1890.

Von ganz besonderem kunstgeschichtlichen Rang sind die steinernen Renaissance-Bauten Hamelns. Es handelt sich um insgesamt fünf Wohnhäuser und um das Hochzeitshaus, den Festsaalbau der Bürgerschaft. Sie entstanden seit 1568 in einem Zeitraum von nur 40 Jahren. Es ist die Zeit der wirtschaftlichen und geistigen Blüte der Stadt, die durch den Dreißigjährigen Krieg (1618–1648) früh beendet wurde.

Hameln's Renaissance buildings made of stone are of very special importance in terms of art history. They consist of five dwelling houses in all as well as the Hochzeitshaus (Wedding House), the banqueting hall of the citizens. Construction started in 1568, and the building was completed in only 40 years. At this time the town was flourishing at both a commercial and intellectual level but the Thirty Years' War (1618-1648) put a premature end to this.

Der Giebel des Hauses Osterstraße 12 zeigt aufgesetzte Kugeln und Obelisken. Unterhalb der Giebelspitze schaut ein „Neidkopf" aus einem rautenförmigen Loch. Neidköpfe sollen die bösen Blicke der Nachbarn abwehren.

The gable of the house at Osterstraße 12 is adorned with spheres and obelisks. A "Neidkopf", a grotesque face, peeps out from a diamond-shaped opening at the top of the gable and was intended to ward off the evil eye of neighbours.

Bauherr des Leisthauses, Osterstraße 9, ist
der humanistisch gebildete und durch
Kornhandel reich gewordene Patrizier Gerd
Leist. Baumeister ist Cord Tönnies, der
zwanzig Jahre früher bereits den Rattenkrug errichtet hatte. Hier gelingt ihm sein
Meisterwerk. Mit seiner farbig gehaltenen
Fassade und dem einzigartigen Figurenschmuck hebt sich das Haus deutlich von
den übrigen Bauten dieser Zeit ab. Heute
befindet sich im Leisthaus das Museum
der Stadt Hameln.

The Leisthaus at Osterstraße 9 was commissioned by the humanist patrician Gerd
Leist, who had acquired his riches by
dealing in corn. The builder was once
again Cord Tönnies, who had already completed the Rattenkrug twenty years earlier.
The Leisthaus was his masterpiece. With
its colourful façade and unique decorative
figures this house clearly stands out from
the other buildings of the time. Today the
Leisthaus is home to Hameln's town
museum.

Das prächtigste aller Hamelner Bürgerhäuser, das Rattenfängerhaus in der Osterstraße 28, wurde 1602/03 für den Ratsherrn Hermann Arendes gebaut. Es dient der Repräsentation eines zu großem Reichtum gekommenen Bürgers. Das Haus zeigt in seiner prächtigen Fassade die ganze Fülle von Merkmalen der späten Weserrenaissance. Die gesamte Front wird von kleinteiligen Zierformen überwuchert, worunter die Gliederung der Fassade fast verschwindet.

Das Rattenfängerhaus steht an der Osterstraße/Ecke Bungelosenstraße. Durch die Bungelosenstraße hatte sich der Auszug der „Hämelschen Kinder" vollzogen. In der Erinnerung an dieses Ereignis darf dort bis heute keine Trommel (Bunge) geschlagen werden. Auf den Kinderauszug bezieht sich eine alte Inschrift an der Hausseite. Ihr Text findet sich auf Seite 44 dieses Buches.

The most magnificent of all Hameln's town houses, the Rattenfängerhaus or Pied Piper House at Osterstraße 28, was built in 1602/03 for the alderman Hermann Arendes. It was intended to show off the great wealth acquired by one of its citizens. The splendid façade of this house demonstrates the full range of features from the late Weser Renaissance style. The entire front is covered with detailed little decorations, all but obscuring the structure of the façade. The Pied Piper House stands on Osterstraße at the corner of Bungelosenstraße. It was through Bungelosenstraße that the "Children of Hameln" left the town. In memory of this event it is not permitted here to strike a drum (a so-called Bunge) even today. An old inscription on the side of the house makes reference to the exodus of the children. The text can be found on page 44 of this book.

Tobias von Deventer, Großhändler und später Bürgermeister, Sohn eines aus Holland eingewanderten Kaufmanns, ließ 1607 die Fassade des seinen Namen tragenden Dempterhauses, Am Markt 7, errichten.

Die ersten beiden Stockwerke wurden in Stein mit regelmäßig abwechselnden Kerbschnittbändern und einem Rundbogenportal ausgeführt, das dritte Geschoss und der Giebel jedoch in Fachwerk.

In 1607 Tobias von Deventer, a wholesale merchant and later Mayor, the son of an immigrant trader from Holland , commissioned the building of the house bearing his name "Dempterhaus", Am Markt 7. The first two floors were constructed in stone, featuring regularly alternating notched bands and a round-arched portal, while the third storey and gable are half-timbered.

Das Hochzeitshaus.

Die Reihe der Steinbauten der Weserrenaissance beschließt in Hameln das Hochzeitshaus, das 1617 – unmittelbar vor dem Ausbruch des Dreißigjährigen Krieges – fertig gestellt wurde.

Das Bürgertum der Stadt setzte sich hier ein monumentales Wahrzeichen. An der 43 Meter langen Schauseite zur Osterstraße führen drei Portale zur Ratswaage, zur städtischen Apotheke und in die Weinstube. Im ersten Stock lag der große Festsaal, darüber befand sich die städtische Rüstkammer, das Waffenlager der Bürger.

Das Hochzeitshaus ist jetzt das zentrale Gebäude der „Erlebniswelt Renaissance", die Einblicke in die welthistorischen Umbrüche des Renaissance-Zeitalters vermittelt.

Hochzeitshaus (Wedding House).

Hameln's collection of stone houses built in the Weser Renaissance style is rounded off by the Hochzeitshaus, which was completed in 1617 – just before the outbreak of the Thirty Years' War.

Here the citizens set a monumental landmark in the town. On the side facing Osterstraße 43 metres in length three portals lead to the Ratswaage, the town apothecary and the Weinstube wine tavern. On the first floor there was the large banqueting hall and above the municipal armoury, where the citizens used to store their weapons.

Now "Erlebniswelt Renaissance" resides in this building, offering visitors an insight into the world-changing historic events of the Renaissance age.

Bei dem Adam- und Eva-Stein handelt es sich um eine auf das Jahr 1550 datierte Beischlagwange, die nachträglich in die Fassade des Hauses Fischpfortenstraße 20 eingefügt wurde. Neben der Darstellung des Sündenfalls findet sich oben die Erschaffung des Weibes durch Gott aus der Rippe des Mannes, während unten der Tod als Gerippe zu sehen ist.

The Adam and Eva Stone is an entrance stele dating back to 1550 which was added to the façade of the house at Fischpfortenstraße 20 at a later date. It not only depicts the Fall of Mankind but above, also shows how God created Woman from the rib of Man while below, Death is portrayed as a skeleton.

Das Lückingsche Haus in der Wendenstraße 8 wurde 1638 noch während des Dreißigjährigen Krieges errichtet. Der Kaufmann Henni Wichmann und seine Frau Magdalena Schwartze finanzierten den Bau durch Gewinne aus Kriegslieferungen von Getreide.

Der Eingang des Hauses springt hinter die Hausfront zurück, so dass links und rechts zwei vorgetäuschte Utluchten entstehen. Außerordentlich reich ist die Verzierung der Schwellen und Brüstungsplatten an der Fassade.

The Lückingsches Haus at Wendenstraße 8 was built in 1638 during the Thirty Years' War. It was financed by the merchant Henni Wichmann and his wife Magdalena Schwartze from the profits they made delivering corn during the war.
The entrance to the house is set back from the front to create two fake bay windows on the left and right. The decoration of the sills and parapet slabs on the façade is particularly ornate.

Dieses Gebäude am Pferdemarkt 1 wurde um 1700 als Wohnhaus eines Offiziers der Festung Hameln in repräsentativer Lage errichtet. Der stattliche Barockbau dient seit 1885 als Kreishaus.

This house at Pferdemarkt 1 was built in a prestigious location as the residence of an officer at the fortress of Hameln around 1700. Since 1885 this three-storey Baroque edifice has served as an administrative building of the local government.

Die Garnisonkirche, Osterstraße 25, wurde 1712 – 14 für die Soldaten der Festung Hameln errichtet. Nach dem grünen Dach des kleinen Reiterturmes wird das Gebäude bis heute als „Grüner Reiter" bezeichnet. 1929 zog hier die Stadtsparkasse ein.

The Garrison Church at Osterstraße 25 was built in 1712-14 for the soldiers based at the fortress of Hameln. Today this building is still known as the "Grüner Reiter" after the green roof of the little tower (rider). In 1929 it become home to the town's savings bank.

Das stattliche Kommandantenhaus am Markt 4 war seit 1680 Wohnsitz des Festungskommandanten von Hameln. 1743 wurde seine Fassade mit spätbarocker Umrahmung der Fenster und des Portals neu gestaltet. Seit 1963 ist hier die Sparkasse Weserbergland untergebracht.

The imposing Kommandantenhaus at Markt 4 became the residence of Hameln Commander of the Fortress in 1680. In 1743 the façade was redesigned, adding framing to the windows and portal in the late Baroque style. It has housed the Sparkasse Weserbergland savings bank since 1963.

The six-storey flat-roofed brick structure of the Pfortmühle (old mill) was built in 1893 by the architect Lingemann from Hanover at the request of the entrepreneur Friedrich Wilhelm Meyer, who was responsible for Hameln's economic upsurge as a mill town. The towering walls of the building are structured by the alternation between light red and yellow brickwork.

Another building had also stood at this site in the 14th century. It was located at the Weserwehr (weir) next to the Fischpforte gate, from which it acquired its name Fischpfortenmühle.

This industrial monument was renovated by the authorities of Hameln in 1990, and in the same year one the finest municipal libraries in North Germany opened here. On the ground floor visitors can still see parts of the old turbine system.

Den sechsgeschossigen, flach gedeckten Ziegelbau der Pfortmühle errichtete der Architekt Lingemann aus Hannover im Jahre 1893 im Auftrage des Unternehmers Friedrich Wilhelm Meyer, dem Hameln den Aufschwung zur Mühlenstadt zu verdanken hat. Die hoch aufragenden Wände des Bauwerkes werden durch den Wechsel von hellroten und gelben Ziegeln gegliedert.

Ein erster Vorgängerbau wurde hier im 14. Jahrhundert errichtet. Er lag am Weserwehr bei der Fischpforte und erhielt danach seinen Namen Fischpfortenmühle.

Das Industriedenkmal wurde 1990 durch die Stadt Hameln saniert. Im selben Jahr eröffnete hier eine der schönsten Stadtbüchereien Norddeutschlands. Im Erdgeschoss sind Teile der alten Turbinenanlage zu sehen.

Das Haus Bäckerstraße 38/39 ist ein Beispiel für die repräsentativen Wohn- und Geschäftsbauten, wie sie Ende des 19. Jahrhunderts zahlreich in Hameln entstanden sind. Gern wurden Ecklagen genutzt. Sie boten die Möglichkeit, vorgeschobene Erker mit aufgesetzten Türmchen und Helmen zu errichten. Die Fassaden dieser Bauten sind im Jugendstil gestaltet. Die Häuser fügen sich reizvoll in die Reihen der alten Fachwerkhäuser und Steinbauten ein.

The house at Bäckerstraße 38/39 is an example of the prestigious residential and office buildings that proliferated in Hameln at the end of the 19th century. Widespread use of corners was made, allowing projecting oriels to be built, topped with little towers and helm roofs. The façades of these buildings are of Art Nouveau design. These houses blend in delightfully with the rows of old half-timbered houses and stone buildings.

Die älteste erhalten gebliebene bildliche Darstellung des Kinderauszugs und der Rattenvernichtung wurde 1592 angefertigt. In dem Bild sind drei verschiedene Handlungen zusammengefasst.

Der linke Bildausschnitt stellt die Figur des Pfeifers in gotischem Kostüm dar. Er erscheint im Vergleich zu den anderen Bildelementen übergroß. Im rechten Teil des Bildes sieht man die Kinderschar auf den Calvarienberg ziehen, wie sie der dieses Mal klein dargestellten Figur des Pfeifers folgt. Weiter rechts erkennt man die Weser, auf welcher der Pfeifer von einem Schiff aus Ratten in das Wasser lockt.

The oldest portrayal that remains of the exodus of the children and extermination of the rats was completed in 1592 and shows three different elements.
In the left-hand section there is the figure of the Piped Piper in Gothic costume, which looks disproportionately large compared with the other elements of the picture. On the right we can see a group of children proceeding to the hill of Calvary as they follow the figure of the Piped Piper, which this time is rather small. Further right we can make out the river Weser, where the Piped Piper is luring the rats into the water from a ship.

Die Sage vom Rattenfänger
The legend of the Pied Piper

Es gibt keine andere Sagengestalt in einer deutschen Stadt, deren Name in Deutschland und weltweit so bekannt ist und die das Erscheinungsbild der Stadt so sehr prägt wie der Rattenfänger. Wo sonst ist eine Stadt durch eine Sage berühmt geworden? Hameln ist eine Stadt, die von dem Rattenfänger lebt.

There is no other legendary figure from a German city whose name is known so widely in Germany and throughout the world and who has left his mark so strongly on the face of the town as the Pied Piper. Where else has a place been made famous by a legend? Hameln is a town that lives from the Pied Piper.

Hausschild vom Rattenfängerhaus in der Osterstraße. Verstreut über die Stadt gibt es in Hameln zahlreiche Darstellungen der Rattenfängersage.

Sign on the Pied Piper House in Osterstraße. Scattered throughout Hameln there are numerous representations of the legend of the Pied Piper.

Die eindrucksvolle Bronzeskulptur des Rattenfänger-Brunnens steht auf dem Rathausplatz. Die über dem Wasser schwebende Kinderschar drängt aus den Gassen und Toren der Stadt und folgt mit verzückten Gesichtern den magischen Flötentönen des Pfeifers.

The impressive bronze sculpture of the Pied Piper fountain can be found at Rathausplatz. The children hovering over the water burst out of the alleyway and gates of the town, following the magical tones of the Piped Piper's flute with delighted faces.

Die Rattenfängersage.

Die Geschichte vom Rattenfänger ist ursprünglich eine düstere Unglückssage, in deren Zentrum ein traumatischer Schicksalsschlag steht. Im 13. Jahrhundert muss die Stadt von dem Verlust zahlreicher „Kinder" schwer getroffen worden sein. Einzelheiten sind unbekannt. Das Ereignis muss die Stadt und ihre Einwohner lange Zeit intensiv beschäftigt haben. Die Angst der Eltern einer ganzen Stadt, die Kinder zu verlieren, trieb dazu, von dem Verlust immer wieder zu erzählen. Die Sage bemächtigte sich des Vorgangs, formte ihn um und bildete ihn weiter.

Die Verbindung mit dem Rattenfängermotiv ist nicht ursprünglich, sondern nachträglich mit dem viel älteren Bericht vom Auszug der „Kinder der Stadt" zusammengewachsen. In den ältesten Berichten und Inschriften fehlt sie. Der älteste Bericht über den Auszug der Kinder steht in der „Lüneburger Handschrift" (zwischen 1430 und 1450).

„Zu vermelden ist ein ganz ungewöhnliches Wunder, das sich im Städtchen Hameln in der Mindener Diözese im Jahre des Herrn 1284 genau am Tage Johannis und Pauli ereignet hat.

Ein gewisser Jüngling von dreißig Jahren, schön und durchaus wohl gekleidet, so dass alle, die ihn persönlich sahen, auch seine Kleidung bewunderten, trat über die Brücke und durch die Weserpforte ein. Er hatte eine Silberpfeife von seltsamer Art und begann zu pfeifen durch die ganze Stadt. Und alle Knaben (bzw. Kinder), die jene Pfeife hörten, etwa 130 an der Zahl, folgten ihm aus dem Ostertor hinaus gleichsam zum Calvarien- oder Hinrichtungsplatz, zogen fort und verschwanden, so dass niemand erfahren konnte, wo auch nur einer von ihnen geblieben war. Die Mütter der Knaben (bzw. Kinder) liefen von Stadt zu Stadt und fanden überhaupt nichts.

Darum heißt es Matth. 2,18: ‚Eine Stimme ist in Rama gehört worden, und jede Mutter beweinte ihren Sohn.' Und wie gezählt wird nach Jahren des Herrn oder nach dem ersten, zweiten, dritten nach einem Jubiläum, so zählen sie in Hameln nach dem ersten, zweiten, dritten Jahr nach dem Auszug und Verschwinden der Kinder."

In dieser Form wurde die sagenhafte Darstellung eines Hamelner Kinderauszugs ca. 100 Jahre überliefert. Ein Beispiel dafür ist die Balkeninschrift am Rattenfängerhaus, das 1603 im Winkel von Osterstraße und Bungelosenstraße errichtet wurde. Durch die Bungelosenstraße soll der Rattenfänger mit den Kin-

dern ausgezogen sein. Deshalb darf dort keine Musik erklingen, nicht einmal die Trommel (niederdeutsch Bunge) darf geschlagen werden. Die in Reimform verfasste Inschrift lautet:

ANNO 1284 AM DAGE JOHANNIS ET PAVLI
WAR DER 26. IVNI
DORCH EINEN PIPER MIT ALLERLEI FARVE BEKLEDET
GEWESEN CXXX KINDER VERLEDET
BINNEN HAMELEN GEBO(RE)N
TO CALVARIE BI DEN KOPPEN VERLOREN.

An die Überlieferung von der „Ausführung der Hämelschen Kinder" durch einen Pfeifer knüpften sich im Laufe der Entwicklung Zusätze, so von einem stummen und von einem blinden Kinde, die gerettet und zu Zeugen des Unheils werden, von der zurück bleibenden Kindermagd, von der unterirdischen Wanderung der „Entführten" nach Siebenbürgen. Erst um die Mitte des 16. Jahrhunderts wurde die lokale Überlieferung vom Kinderauszug durch die Wandersage vom Rattenfänger erweitert. Das ist die weit bekannte Gestalt der Sage, wie sie die Brüder Grimm festgehalten haben.

Die Rattenfängersage gab und gibt vielfältigen Anlass zum Nachdenken. In jüngerer Zeit sind am häufigsten Erklärungen mit Hilfe der Ostkolonisation diskutiert worden. Der Rattenfänger sei in Wirklichkeit ein Werber gewesen, der im Auftrag eines Adeligen Kolonisten für den Osten suchte. Es ist aber bisher nicht gelungen, den geheimnisvollen Hintergrund der Tragödie zu erhellen. So bleiben die Fragen: Wer ist der Rattenfänger? Gab es ihn wirklich? Wer sind die Hämelschen Kinder? Wohin sind sie gezogen?

Die reizvollen Holzfiguren des Rattenfänger-Figurenspiels sind seit 1964 im Westgiebel des Hochzeitshauses eingebaut. Täglich um 13.05, 15.35 und 17.35 Uhr dreht der Rattenfänger hier seine Runden.

The legend of the Pied Piper.

The story of the Pied Piper was originally a bleak tale of misfortune revolving around a traumatic stroke of fate. In the 13th century the town was hard hit by the loss of numerous "children". Details are not known, but the event must have greatly preoccupied the town and its inhabitants for a long time. The parents' fear of losing their children in an entire town drove them to speak about this loss time and time again. The legend took up this event, shaping and elaborating on it.

There was originally no link to the Pied Piper theme - this came about later, merging with the much older report about the exodus of the "Children of the Town". It is not mentioned in the oldest reports and inscription. The oldest report about the exodus of the children can be found in a chronicle entitled the "Lüneburger Handschrift" (a manuscript written between 1430 and 1450).

"An announcement must be made of a quite extraordinary wonder that took place in the small town of Hameln in the Diocese of Minden on the very feast day of John and Paul in the Year of Our Lord 1284.

A certain youth of thirty years, a fine figure of a man and extremely well dressed so that everyone who saw him in person marvelled at his dress, walked over the bridge and entered the Weserpforte gate. He was bearing a silver pipe of strange design which he started to play throughout the town. And all boys (children) who heard the tones of his pipe, some 130 or so in number, followed him out of the Ostertor to Calvary or the place of execution as it were, moved away and disappeared so that no-one was able to discover where even a single one of them had gone. The mothers of the boys (children) travelled from town to town but were unable to find out anything at all.

Matth. 2,18 thus reads, 'In Rama there was a voice heard, lamentation and weeping, and great mourning, and each mother sobbed for her son.' And as people tell after Years of our Lord have passed or in the first, second, or third year after an anniversary, so tell they in Hameln the first, second, third year following the exodus and disappearance of the children."

In this form the legendary tale of Hameln's Exodus of the Children was handed down for some 100 years. One example of this is the inscription to be found on a beam of the Pied Piper House, built in 1603 at the corner of Osterstraße and Bungelosenstraße. The Pied Piper is supposed to have passed through Bungelosenstraße when leaving the town with the children. For this reason no music may sound there, not even the drum (Bunge in Low German). The inscription written in rhyming verse runs as follows:

IN THE YEAR OF 1284, ON JOHN'S AND PAUL'S DAY, THE 26TH OF JUNE, A PIPER, DRESSED IN ALL KINDS OF COLOURS, LED AWAY 130 CHILDREN BORN IN Hameln, AND THEY WERE LOST AT CALVARY NEAR KOPPEN.

As the chronicle of the "Taking of the Children of Hameln" by a Piper was handed down over time additions were made, with mention being made of a dumb and a blind child who were saved and became witnesses of the disaster, of a nursemaid who remained behind or of the journey underground of the "abducted" children to Transylvania. It was only around the middle of the 16th century that the local record telling of the exodus of the children was expanded to include the travelling legend of the Pied Piper. This is the widely known version of the legend as it was told by the Brothers Grimm.

The legend of the Pied Piper has always provided food for thought. In recent years the debate has turned most frequently to explanations involving colonisation towards the east. It is claimed that the Pied Piper was in fact a person acting on behalf of a colonist from the nobility who was seeking to recruit people to emigrate to Eastern Europe. But to date it has not been possible to shed any light on the mysterious background to the tragedy. The questions remain: Who was the Pied Piper? Did he really exist? Who were the Children of Hameln? Where did they go to?

The enchanting wooden figures of the Pied Piper clockwork mechanism have been performing in the western gable of the Hochzeitshaus since 1964. The Pied Piper does his rounds here every day at 1.05, 3.35 and 5.35 pm.

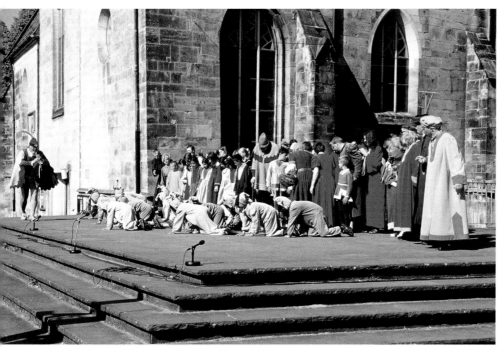

Die Rattenfänger-Freilichtspiele präsentieren in den Monaten von Mai bis September jeden Sonntag um 12 Uhr die Sage vom Rattenfänger auf der Terrasse des Hochzeitshauses. Anschließend ziehen die Akteure, ca. 80 Laiendarsteller, der Pfeifer voran, durch die Stadt. Die Rattenfänger-Freilichtspiele feierten im Jahre 2005 ihr 50-jähriges Bühnenjubiläum.

Every Sunday at noon from May to September the legend of the Pied Piper is staged at the Pied Piper open-air performances on the terrace of the Hochzeitshaus. The actors, some 80 in number who are amateur performers, pass through the town, with the Piped Piper at their head. In 2005 the Pied Piper open-air performances celebrated their 50-year anniversary.

Das Musical „Rats" entstand in England in den 1980er Jahren. Im Vorfeld der Weltausstellung Expo 2000 in Hannover wurde die Idee geboren, dieses Musical als einen Beitrag der Stadt Hameln zu präsentieren.

Die spritzige Inszenierung gefiel auf Anhieb, so dass die ursprünglich nur für die Dauer der Expo geplante Aufführung über das Jahr 2000 hinaus verlängert wurde. In den Monaten von Mai bis September lockt sie nun jeden Mittwoch Hamelner und Touristen auf die Hochzeitshausterrasse.

The musical "Rats" was staged in England in the 1980s. In the run-up to the Expo 2000 world exhibition in Hanover it was suggested putting on this musical as a contribution from the town of Hameln. The sparkling production was popular right from the start, so that the performances, which were originally only scheduled for the duration of the Expo, were extended beyond the year 2000. Every Wednesday from May to September this production attracts the inhabitants of Hameln and tourists to the terrace of the Hochzeitshaus to see the show.

Oberhalb der Wehre, welche die Weser durchziehen, bildet sich eine breite Wasserfläche. Im Hintergrund erhebt sich die Ende des 19. Jahrhunderts errichtete Pfortmühle. Links im Bild ist die alte Schleuse zu sehen, die den Werder, eine Weserinsel, durchschneidet. Bereits im Mittelalter wurde die Weser in Hameln gestaut, um Mühlen betreiben zu können und um den Stadtgraben zu füllen.

A large expanse of water can be found above the weirs across the river Weser, against the backdrop of the Pfortmühle built at the end of the 19th century. To the left we can see the old lock, which cuts through the so-called Werder, an island in the river Weser. As early as the Middle Ages the Weser was dammed in Hameln in order to operate the mills and to provide water for the town's moat.

Der Blick vom Turm des Münsters nach Norden zeigt im Hintergrund die Weser.
The view looking northwards from the tower of the minster shows the Weser in the background.

Stadt im Grünen
A town in a green setting

Die Weser war der Lebensstrom der Stadt. Sie hat die Stadt entstehen und sich entwickeln lassen. In Hameln teilte sich der Fluss durch mehrere Inseln in schmale Arme. Deswegen befand sich hier seit alters ein bequemer Übergang. Früh stand hier eine Holzbrücke, die bald durch eine Brücke aus Stein ersetzt wurde.

The Weser was once the lifeblood of the town. It allowed it to come into being and develop. In Hameln the river was divided into narrow arms by a number of islands, so that it has always been easy to cross. At this point there was once a wooden bridge, which was soon replaced by a bridge built of stone.

Breit fließt die Weser südlich von Hameln am Fuße des Ohrberg.

The Weser then widens south of Hameln at the foot of the Ohrberg.

Die Skulptur „Wellenfahnen" steht am Weserufer in Höhe des Amtsgerichtes.
The sculpture entitled "Wellenfahnen" stands on the bank of the Weser near the District Court.

Der Bürgergarten wurde 1962 mit einer Gartenbauausstellung eröffnet. Das Gelände war früher Teil des Festungsringes, nach dessen Schleifung Exerzierplatz, seit 1921 Stadion.
The Bürgergarten was opened in 1962 together with a horticultural exhibition. The site was once part of the town's fortifications and became a drill after they were razed to the ground. Since 1921 it has been used as a stadium.

Jedes Jahr locken die ersten warmen Frühlingstage die Blüten und Blätter der Märzenbecher unter den noch unbelaubten Buchen auf dem Rücken des Schweineberges hervor. Die Märzenbecher gehören zu den seltenen Frühblühern. Seit 1947 ist der Schweineberg Naturschutzgebiet, um dieses in Norddeutschland wohl größte Vorkommen von Märzenbechern zu erhalten.
Every year the flowers and leaves of the narcissi unfurl in the first warm days of spring under the bare branches of the beeches on the crest of the Schweineberg. Narcissi belong to the rare category of early flowering plants. In 1947 the Schweineberg was declared a nature protection area to safeguard what is probably the largest collection of narcissi in Northern Germany.

Den Ohrbergpark legte Georg Adolph von Hake vom nahen Rittergut Ohr im frühen 19. Jahrhundert auf einem hoch über der Weser liegenden Bergsporn an. Zahlreiche Sichtachsen führen aus dem Landschaftspark hinaus auf das Gut, zur Weser und in die freie Landschaft. Im 19. Jahrhundert war der Park für seine über zweihundertfünfzig verschiedenen Gehölze aus aller Welt berühmt. Seine zahlreichen Rhododendren und Azaleen entfalten im Frühsommer ein Blütenmeer.

The Ohrbergpark was created in the early 19th century by Georg Adolph von Hake from the nearby manor Rittergut Ohr. It is located on a spur high above the river Weser. There are numerous views from this landscaped park, looking towards the manor estate, the Weser and the open countryside. In the 19th century this park was famed for its over two hundred and fifty different shrubs from all over the world. In early summer its many rhododendrons and azaleas create a sea of flowers.

Weserdampfer unterhalb vom Ohrberg. Hameln ist eine Stadt im Grünen. Von allen Seiten reichen Berge, Wälder und Felder nah an die Stadt heran und sind rasch erreichbar.
Boats on the Weser down from the Ohrberg. Hameln is a town in a green setting. Hills, forests and meadows can be found close by on every side and are quickly accessible from the town.

Hameln ist Ausgangspunkt für Ausflüge in das Weserbergland. Die Landschaft, hier der Weserbogen bei Rühle südlich von Hameln, wird geprägt von beschaulichen Dörfern, Feldern, Wiesen und bewaldeten Bergkuppen.

Hameln is a starting point for excursions into the hills of the Weserbergland. The landscape, here the Weserbogen at Rühle south of Hameln, is characterised by quiet villages, fields, meadows and wooded hilltops.

Ziele der Umgebung
Destinations in the locality

Das Stift Fischbeck wurde 954 durch eine Schenkung König Ottos I. als Damenstift gegründet. Der sächsische Adel brachte hier seine nicht verheirateten Töchter unter. Bis heute ist diese Tradition ungebrochen, wenn auch die adelige Herkunft keine Bedingung mehr für die Aufnahme ist.

Das Kirchengebäude hat seinen romanischen Charakter aus dem frühen 12. Jahrhundert weitgehend bewahren können. An das monumentale Westwerk fügt sich eine flach gedeckte Basilika.

Vom Kreuzgang aus hat der Besucher einen Eindruck von der Gesamtanlage, zu der die Wohnräume der Stiftsdamen sowie Scheunen und Stallungen gehören. Vom offenen Kreuzgang aus gelangt man in den hübschen Klostergarten.

Führungen im Stift (täglich um 14 Uhr) werden abwechselnd von den Stiftsdamen durchgeführt.

Stift Fischbeck was founded in 954 as a ladies' convent following a gift made by King Otto I. It was here that the aristocracy of Saxony accommodated its unmarried daughters. To date this tradition remains unbroken, although an aristocratic background is no longer a condition of admission.

The church building has by and large retained its Romanesque character from the early 12th century. A flat-roofed basilica is adjacent to the monumental westwork. From the cloister visitors can gain an impression of the overall complex, which includes the living areas of the ladies of the convent as well as barns and stables. From the open cloister they can proceed to the attractive garden.

Guided tours of the convent (every day at 2.00 pm) are offered by the ladies of the convent, who take it in turns to act as the guide.

Reizvoll im Tal der Emmer liegt das Schloss Hämelschenburg. Jürgen von Klencke (1551 – 1609) begann mit der Errichtung des Baus auf den Resten eines Vorgängerbaus, der einem Brand zum Opfer gefallen war.

Heute gilt das Schloss als das prächtigste Baudenkmal der Weserrenaissance. Alle Bauteile des Schlosses – eine Dreiflügelanlage mit zwei achteckigen Treppentürmen – sind reich dekoriert. In der Fassadengestaltung fällt die Verwandtschaft mit dem Hamelner Hochzeitshaus ins Auge.

Zusammen mit der kleinen Kirche und dem ausgedehnten Wirtschaftshof bietet die Hämelschenburg ein einzigartiges Ensemble der Renaissance im Weserraum. Das Schloss – bis heute im Besitz der Familie von Klencke – öffnet seine Innenräume den Besuchern. Um das Schloss haben sich eine Reihe von Künstlern und Kunsthandwerkern niedergelassen.

The castle Schloss Hämelschenburg can be found in a delightful setting in the valley of the Emmer. It was built by Jürgen von Klencke (1551-1609) on the remains of another building which had burnt down.

Today the castle is considered as the finest monument of Weser Renaissance. The entire castle – a three-wing structure with two octagonal staircase towers – is ornately decorated. Its façades are reminiscent of the Hochzeitshaus in Hameln.

With its little church and sizeable farm the Hämelschenburg is a unique complex featuring the Renaissance style in the Weser region. The castle – which is still in the hands of the Klencke family – is open to the public. A number of artists and artisans have also settled around the castle.

Schloss Schwöbber wurde 1565 bis 1604 für die Familie von Münchhausen errichtet, in deren Besitz es bis 1918 verblieb. Bauherr war der kaiserliche Oberst und Söldnerführer Hilmar von Münchhausen, Baumeister der ersten Bauphase der aus Hameln bekannte Cord Tönnies. Es handelt sich um eine imposante dreiflügelige Anlage im Stil der Weserrenaissance, die ursprünglich nach allen Seiten von einem Wassergraben umgeben war. Der Mitteltrakt ist mit den Seitenflügeln durch zwei achteckige Treppentürme verbunden.

Heute ist das Schloss zu einem Hotel umgebaut und der weitläufige Park renoviert.

The castle Schloss Schwöbber was built between 1565 and 1604 for the von Münchhausen family and remained in its hands until 1918. It was commissioned by the Imperial Colonel and mercenary leader Hilmar von Münchhausen, with the first phase of construction being carried out by Cord Tönnies, the master builder from Hameln. The structure consists of a striking three-wing complex in the Weser Renaissance style, which was originally surrounded on all sides by a moat. The middle section is connected to the side wings by octagonal staircase towers.
The castle has been converted and serves as a hotel today. The park is renovated.

Kleine Geschichte der Stadt

Um 851 An einem alten Weserübergang unweit einer sächsischen Siedlung gründet die Benediktinerabtei Fulda ein Kloster. Im 10. Jh. wird das Kloster in ein Chorherrenstift umgewandelt.

11. Jh. Aus einem angegliederten Marktort entwickelt sich eine Stadt.

Um 1200 Hameln wird erstmals urkundlich als Stadt („civitas") erwähnt und erhält Stadtrechte. Eine steinerne Weserbrücke entsteht.

1277 Die Stadt unterstellt sich freiwillig der Herrschaft der Welfen, welche für 700 Jahre die politischen Verhältnisse sichern.

1284 Nach der Überlieferung soll am 26. Juni 1284 der „Auszug der Hämelschen Kinder" stattgefunden haben. Dies ist Grundlage der Rattenfängersage.

1426 Die günstige Lage an der Weser und überregionalen Straßen begründet eine günstige Entwicklung. Hameln wird (bis 1572) Mitglied der Hanse.

1540 Die Bürgerschaft übernimmt den reformatorischen Glauben.

1560-1620 In diesem Zeitraum fällt die wirtschaftliche Blütezeit der Stadt, die gegenüber dem Landesherrn ein hohes Maß an Selbstständigkeit besitzt. Jetzt entstehen die berühmten Bauten der Weserrenaissance.

1618-1648 Im 30-jährigen Krieg muss die Stadt eine mehrfach wechselnde Besatzung erdulden. Die Pest fordert viele Opfer. Der Reichtum und die politische Selbstständigkeit sind dahin.

1662-1670 Ausbau zur hannoverschen „Haupt- und Prinzipalfestung". Die Einquartierung des Militärs lastet als ein schweres Joch auf der Stadt. Hameln hat zu dieser Zeit circa 2.400 Einwohner, hinzu kommen circa 1.000 Soldaten.

1690 Durch den Landesherrn werden Glaubensflüchtlinge (Hugenotten) aus Frankreich angesiedelt, die das Wirtschaftsleben der Stadt beleben sollen.

1734 Bau der ersten Schleuse zur Überwindung des berüchtigten „Hamelner Loches". Bisher war es nötig gewesen, die Weserschiffe zu entladen und mittels einer Winde durch die starke Strömung zu ziehen.

1757 Während des Siebenjährigen Krieges liegt teils französische, teils englische Besatzung in der Stadt. Nahe Hamelns kommt es zur Schlacht bei Hastenbeck.

1761-1784 Ausbau und Modernisierung der Festung mit zahlreichen Bastionen. Das „Gibraltar des Nordens" gilt als uneinnehmbar.

1803-1813 Während der Napoleonischen Kriege wird die Stadt mehrmals wechselnd besetzt. Auf Geheiß Napoleons wird die Festung 1808 geschliffen.

1829-1832 Es gibt erste Ansiedlungen von Industrie im Bereich der Papier- und Textilbranche, allerdings weit außerhalb. Das riesige Gelände der ehemaligen Festung steht zur Bebauung nicht zur Verfügung.

1866/67 Hameln wird nach fast 700-jähriger welfischer bzw. hannoverscher Oberhoheit preußisch. Damit beginnt die Industrialisierung und Modernisierung der Stadt. Die Stadt hat damals gut 6.000 Einwohner.

1872 Die Eisenbahnstrecke Hannover-Hameln-Altenbeken entsteht. Hameln entwickelt sich zu einem wichtigen Kreuzungspunkt.

1890 Der Bau einer Neustadt außerhalb der Wälle beginnt. Mit der Eisen-, Teppich- und Mühlenindustrie entwickeln sich wichtige Gewerbezweige.

Um 1900 Die Hauswasserversorgung wird installiert und die Elektrifizierung beginnt. Hameln hat 18.000 Einwohner.

1933 Eine neue Weserschleuse wird eröffnet.

1933-1937 Fünf Mal findet unter Anwesenheit Hitlers auf dem nahen Bückeberg das „Deutsche Reichserntedankfest" statt. Das gigantische Spektakel im Dienste der Massenpropaganda zieht bis zu einer Million Besucher aus ganz Deutschland an.

Seit 1935 Im Rahmen der Wiederaufrüstung werden umfangreiche Kasernen gebaut.

1939-1945 Im Jahre 1939 hat Hameln 31.683 Einwohner. Die Stadt bleibt von Luftangriffen im Zweiten Weltkrieglange verschont. Erst in den letzten Kriegsmonaten gibt es Angriffe auf den Bahnhof, die zahlreiche Opfer fordern.

1945 Weil die NS-Führung den Befehl ausgegeben hat, die Stadt Hameln zu verteidigen, werden in den letzten Kriegstagen unter anderem die Marktkirche und das Rathaus zerstört. Das Stadtbild bleibt jedoch insgesamt erhalten.

1945-1950 Flüchtlinge und Vertriebene lassen die Bevölkerung auf 50.000 Menschen anwachsen. Extreme Wohnungsnot zwingt zu ausgedehntem Wohnungsbau. Zahlreiche Industrieunternehmungen entstehen in Hameln neu.

1953 Die Weserbergland-Festhalle (mit Theater) wird eröffnet.

1962 Der Bürgergarten an der Deisterallee wird mit der niedersächsischen Gartenbauausstellung eröffnet.

1967 Der Rat beschließt die Sanierung der Altstadt. Die ursprünglichen Pläne sehen den Abbruch zahlreicher Gebäude vor.

1973 Hameln wird als selbstständige Stadt dem Kreis Hameln-Pyrmont eingegliedert. Gleichzeitig werden zwölf Umlandsgemeinden der Stadt zugeordnet. Die Bevölkerung steigt auf 63.000.

1974 Unter großer Bürgerbeteiligung wird ein Umdenken in der Altstadtsanierung erzwungen: weg von der Flächensanierung und hin zur Objektsanierung.

1975 Die Osterstraße wird zur Fußgängerzone.

1984 Das Jubiläumsjahr „700 Jahre Rattenfänger" findet ein weltweites Echo.

1986 Der Rattenfänger-Literaturpreis wird erstmals vergeben.

1993 Die Altstadtsanierung findet einen weltweit beachteten Abschluss. Die Stadtbücherei bezieht ein neues Domizil im geretteten Industriedenkmal Pfortmühle.

A Short History of the Town

Ca. 851 A monastery is founded by the Benedictine Abbey of Fulda at an old crossing point of the river Weser not far from a Saxon settlement. In the 10th century it becomes a canon monastery.

11th Cent. A town develops from an adjoined market hamlet.

Ca. 1200 Hameln is first mentioned in the records as a town ("civitas") and receives its own town charter. A bridge over the Weser is built in stone.

1277 The town voluntarily submits to the dominance of the Guelphs, who were to rule the political landscape for 700 years.

1284 According to the records the "Exodus of the Children of Hameln" is supposed to have taken place on 26 June 1284. This formed the basis for the legend of the Pied Piper.

1426 The development of the town is encouraged by its favourable position on the river Weser and the network of national roads. Hameln becomes (until 1572) a member of the Hanseatic League.

1540 The Reformation belief is adopted by the citizens.

1560-1620 During this period the town flourishes in economic terms and enjoys a high degree of autonomy vis-à-vis the sovereign ruler. The famous buildings in the Weser Renaissance style make their appearance at this time.

1618-1648 In the course of the Thirty Years' War the town suffers several changes in occupation. The plague claims many victims. The affluence and political independence of the town are lost.

1662-1670 Expansion of the town into the Hanoverian "Main and Principal Fortress". Billeting of the military is a heavy burden on the town. At this time Hameln is home to some 2,400 inhabitants, as well as 1000 or so soldiers.

1690 Huguenots from France who are being persecuted for their beliefs are settled in the town by the sovereign ruler, with the aim of breathing new life into its commercial activities.

1734 Construction of the first lock to overcome the problem of the infamous "Hole of Hameln". Until this time it had been necessary to unload the ships plying the Weser and drag them through the strong current using a winch.

1757 During the Seven Years' War the town is occupied by both French and English forces. The battle of Hastenbeck takes place near Hameln.

1761-1784 Development and modernisation of the fortress with numerous bastions. The "Gibraltar of the North" is considered to be impregnable.

1803-1813 The town is occupied several times by various forces during the Napoleonic Wars. The fortress is razed to the ground in 1808 on Napoleon's command.

1829-1832 The first industrial settlements spring up in the paper and textiles industries, albeit well outside the town. The enormous site of the former fortress is not available for development.

1866/67 After almost 700 years of sovereign rule by the Guelphs and Hanoverians Hameln becomes Prussian, ushering in the industrialisation and modernisation of the town, which has a good 6,000 inhabitants at this time.

1872 The railway line Hanover-Hameln-Altenbeken is built, and Hameln develops into a major junction.

1890 The construction of a new town outside the ramparts starts. Important trade sectors come into being with the iron, carpet-making and mill industry.

Ca. 1900 The domestic water supply system is installed, and electrification begins. Hameln now has 18,000 inhabitants.

1933 A new lock on the Weser is opened.

1933-1937 The "Harvest Thanksgiving Festival of the German Reich" takes place five times on the nearby Bückeberg in the presence of Hitler. This gigantic mass propaganda spectacle attracts up to one million visitors from all over Germany.

From 1935 Extensive barracks are built under the rearmament programme.

1939-1945 By 1939 Hameln boasts 31,683 inhabitants. The town is spared by the air raids of the Second World War for a long time. It is only in the last few months of the war that the railway station is attacked, claiming many victims.

1945 As the Nazi leadership gave the order to defend the town of Hameln, the Marktkirche church and the Town Hall are some of the buildings destroyed in the last few days of the war. However, overall the face of the town remains intact.

1945-1950 With the arrival of refugees and displaced persons the number of the town's inhabitants reaches 50,000. An extreme shortage of accommodation results in an extensive house building programme. Numerous industrial businesses are set up in Hameln.

1953 The Weserbergland-Festhalle (festival hall including theatre) is inaugurated.

1962 The Bürgergarten on Deisterallee is opened on the occasion of the horticultural exhibition of Lower Saxony.

1967 The Town Council resolves renovation of the old town, with the original plans providing for the demolition of numerous buildings.

1973 Hameln is incorporated as an autonomous town in the District of Hameln-Pyrmont. At the same time it is assigned twelve municipalities located outside the town. The population rises to 63,000.

1974 Large-scale involvement by the citizens forces a change in approach to renovation of the old town: a move from zone-based redevelopment to the restoration of individual buildings.

1975 Osterstraße is pedestrianised.

1984 The town's jubilee "700 Years of the Pied Piper" finds a positive response all over the world.

1986 The Rattenfänger-Literaturpreis (prize) is awarded for the first time.

1993 Restoration of the old town is completed, meeting with international approval. The town library is given a new home at the industrial monument Pfortmühle, which has undergone restoration.

Routen durch die Altstadt Routes through the old town

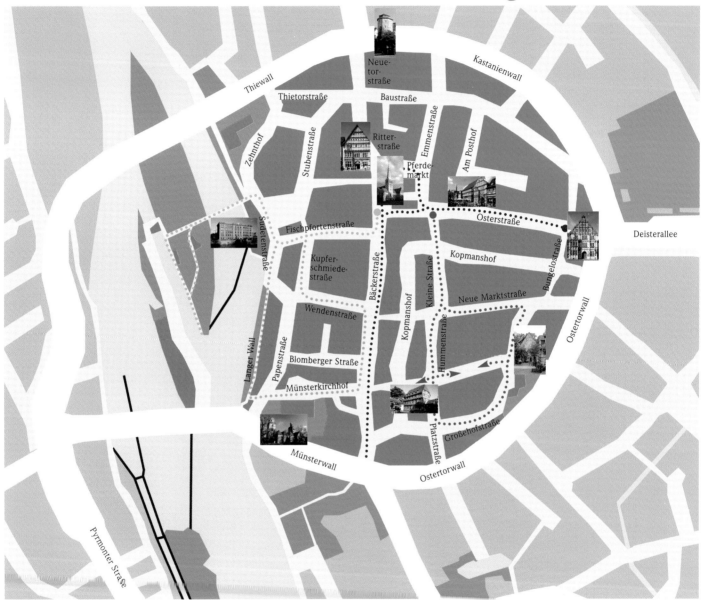

Introduction:

Hamein (Hamelin), bien connue en tant que «ville de la légende du joueur de flûte» (ou du charmeur de rats), «joyau de la Renaissance» et «centre du pays montagneux de la Weser»: qu'est-ce qui rend cette ville si intéressante?

Avant tout, il nous faut rappeler le charme du centre ville ancien, qui a conservé ses proportions depuis la fin du Moyen-Âge. On y retrouve des bâtiments gothiques, des façades provenant de la Renaissance et toutes sortes d'architectures, du Baroque au Moderne en passant par l'Art Nouveau. Les monuments se situent tous en centre ville. Les deux rues principales, la Bäckerstraße (rue des boulangers) et l' Osterstraße (rue pascale), frappent par l'élégance de leurs façades de pierre du style Renaissance de la Weser. Dans les ruelles voisines, on peut admirer des maisons à colombage richement ornées. Les petites ruelles en périphérie offrent un tableau particulièrement émouvant et pittoresque grâce au charme de leurs modestes maisonnettes.

De plus, le nom de Hamein est associé de façon unique à une célèbre légende: la fascinante histoire du joueur de flûte charmeur de rats. En visitant Hamein, on retrouve dans le paysage urbain une quantité de témoins encore présents de l'époque du départ des enfants en l'an 1284.

Légende:

2 Vue du Klüt sur Hamein.

4 Marktkirche (église du marché) et Hochzeitshaus (maison de noce).

5 Osterstraße.

6 Vue aérienne du centre ville.

7 Marktkirche et Hochzeitshaus.

8 L'Osterstraße est la plus large de Hamein.

8 Bas: Fontaine sur la place Pferdemarkt (marché aux chevaux).

9 Maisons à colombage aux numéros 17-19 de l'Osterstraße.

9 Bas: Bâtiments de style Renaissance, Biedermeier (début 19ème), Gründerzeit (fin 19ème) et Art Moderne.

10 Bäckerstraße.

11 La pyramide de Noël de onze mètres de haut (Osterstraße).

12 Gauche: La Wendenstraße raccorde la Bäckerstraße à la Weser.

12 La Kupferschmiedestraße (rue des chaudronniers/cuivreurs) longe la Weser d'un arc léger.

13 L' Alte Marktstraße (vieille rue du marché) fait partie des plus anciennes rues de la ville. Ouest (haut), Est (bas).

14 La Große Hofstraße (grande rue de la cour) appartient aux Mauerstraßen (rues de l'enceinte).

15 L'Alte Marktstraße s'élargit à l'est pour se transformer en l'une des places les plus charmantes de la ville.

16 La cathédrale Saint Bonifacius.

17 Gauche: La chapelle Élisabeth fut construite en 1250.

17 Droite: Le portail principal richement orné de la cathédrale.

18 Gauche: Vue vers l'est à travers la nef centrale de l'Église.

18 Haut: «Sakramentshaus», reliquaire sur colonnes de 1270/80.

18 Bas: Crypte romane du 11ème siècle.

19 Gauche: D'après la légende, le comte Bernhard et sa femme Christina auraient fondé l'église en l'an 712.

19 Droite: «Madonna auf der Mondsichel», la madone sur le croissant de lune, relief en grès de 1410.

20 Haut: La curie de Jérusalem est le plus ancien bâtiment à colombage de la ville.

21 La «Marktkirche», bâtie au Moyen-Âge, fut presque complètement détruite en 1945 et reconstruite de 1957 à 1959.

22 Gauche: L'humble maison au numéro 43 de la Bäckerstraße est l'une des plus anciennes de la ville et date vraisemblablement de 1300.

22 Droite: La tour Haspelmaths est, avec la Pulverturm (tour à poudre), l'une des seules tours de la ville ayant été conservée.

23 La large maison de pierre au numéro 12 de la Bäckerstraße date du 14ème siècle.

24 La maison d'angle, au numéro 10 de la place Pferdemarkt, construite vers 1500.

25 La maison à 3 étages à l'angle de la Bäckerstraße (numéro 21) fut probablement bâtie au début du 16ème siècle.

26 La maison à l'angle des rues Kupferschmiedestraße (numéro 13) et Wendenstraße datant de 1500 présente une façade richement sculptée.

27 Gauche: Annexe de la maison d'angle Kupferschmiedestraße numéro 13

27 Droite: La maison au numéro 23 de la Neue Marktstraße (nouvelle rue du marché) possède un ornement d'une charmante vivacité et d'un brillant désordre.

28 La maison des chanoines (Osterstraße numéro 8) est la plus somptueuse maison à colombage de Hamein. Elle fut construite entre 1556 et 1558.

29 Gauche: Le pan du toit de la maison est parallèle à la rue.

29 Maison rendue unique par les magnifiques figures décorant ses consoles

30 Le bistrot «Rattenkrug» (la cruche aux rats) au numéro 16 de la Bäckerstraße est le plus ancien exemple de construction de style Renaissance à Hamein.

31 Haut: Le toit de la maison, au numéro 12 de l'Osterstraße, est coiffé de globes et d'obélisques.

32 Avec sa façade colorée et décorée de figures uniques, la maison Leisthaus se distingue fortement des bâtisses de la même époque. Le musée de Hamein y est installé.

33 La plus somptueuse des maisons de Hamein, la maison du joueur de flûte, au

numéro 28 de l'Osterstraße, fut bâtie en 1602.

34 Les deux étages inférieurs de la maison Dempter (1607) sont en pierre, l'étage supérieur et le toit sont à colombage.

35 La «Hochzeitshaus» fut achevée en 1617, peu avant le début de la guerre de 30 ans. «Le monde de la Renaissance» (Erlebnis-welt Renaissance) ouvre ses portes durant l'été 2005 et permet de jeter un regard sur les boulversements de l'histoire mondiale à la Renaissance.

36 La pierre d'Adam et Ève, provenant de l'année 1550, au numéro 20 de la Fischpforten-straße (rue de la porte des poissons).

37 La maison «Lücking», au numéro 8 de la Wendenstraße, fut bâtie en 1638.

38 Haut: La construction baroque de 1700 au Pferdemarkt n° 1 (marché aux chevaux) sert depuis 1885 de bâtiment administratif à la circonscription.

38 Bas: L'église de la garnison (Osterstraße nr. 25) fut construite en 1712 pour les soldats du fort Hamelin.

39 L'imposante «Kommandantenhaus» (maison des commandants), située au numéro 4 de la place du marché (Markt 4), servit de résidence aux commandants de la ville fortifiée à partir de 1680.

40 Le moulin «Pfortmühle» fut érigé en 1893. Ce monument industriel fut transformé en bibliothèque municipale en 1990.

41 La maison au numéros 38/39 de la Bäcker-straße est un superbe exemple de bâtiment de l'Art Nouveau.

42 Le plus ancien tableau montrant le départ des enfants et la mort des rats date de 1592.

43 Haut: L'enseigne de la maison du joueur de flûte dans l'Osterstraße.

43 Bas: La fontaine du joueur de flûte, avec sa sculpture de bronze, se trouve sur la place de la mairie (Rathausplatz).

46 Des représentations en plein air de la légende du joueur de flûte ont lieu sur la scène de la «Hochzeitshaus» chaque dimanche à 12h, de mai à septembre («Rattenfänger-Freilichtspiele»). Après cha-que spectacle, les acteurs défilent à travers la ville.

47 La comédie musicale «Rats» réjouit les spectateurs chaque mercredi à 16h30 sur la scène de la «Hochzeitshaus».

48 Haut: La Weser avec le moulin «Pfort-mühle» et la vieille écluse.

48 Bas: Perspective du nord de la tour de la cathédrale montrant la Weser en arrière-plan.

49 Gauche: La sculpture «Wellenfahnen» (drapeaux ondulés) au bord de la Weser.

49 Droite: La Weser au sud de Hamelin.

50 Haut: Les jardins publics de Hamelin.

50 Bas: Nivéoles printanières à Schweineberg au printemps.

51 Haut: Le parc d'Ohrberg, près de Hamelin.

51 Bas: Bâteau à vapeur sur la Weser.

52 Le pays montagneux de la Weser: coude de la Weser au niveau de Rühle.

53 L'établissement religieux «Stift Fischbeck» fondé en 945.

54 Le château de Hämelschenburg passe pour l'un des plus magnifiques de la Renaissance dans la région de la Weser.

55 Le château Schwöbber fut bâti entre 1565 et 1604 pour la famille Von Münchhausen.

La légende du joueur de flûte

L'histoire du joueur de flûte est, à l'origine, un mythe lugubre au centre duquel se déroule un sinistre revers de fortune. La ville a dû être touchée au 13ème siècle par la terrible perte de nombreux enfants, mais l'on ne connait aucun détail historique. Cependant, cet événement a dû préoccuper les parents de la ville si longtemps et intensément, et être transmis si souvent de bouche à oreille, que celui-ci se transforma en légende.

Le joueur de flûte fut ajouté bien plus tard au récit de la disparition des enfants, et n'est pas mentionné dans les écrits les plus anciens. L'inscription la plus ancienne évoquant le départ des enfants est le manuscrit de Lunebourg (Lüneburger Handschrift, 1430-1450).

Résumé: «En l'an 1284, un joueur de flûte aux pouvoirs magiques réussit à débarrasser Hamelin des rats. Quand il voit que les autorités, malgré leur promesse, refusent de le payer, il entraine cette fois, au son de sa flûte, tous les enfants de la ville»

Ainsi fut transmise la légende du départ des enfants de Hameln pendant près de 100 ans. Un autre exemple décrivant cette histoire est l'inscription trouvée sur l'une des poutres de la maison du joueur de flûte, construite à l'angle de l'Osterstraße et de la Bungelosenstraße en 1603. Celle-ci est rédigée en vers. Le charmeur de rats aurait quitté la ville par la rue Bungelosenstraße. C'est pour cela qu'aucune sorte de musique n'y est tolérée, pas même le tambour.

Au fil du temps s'ajoutèrent de nouveaux détails à la légende du joueur de flûte emportant les enfants de Hameln au loin, les histoires d'un enfant muet et d'un enfant aveugle qui furent les témoins rescapés de cette calamité, de la bonne d'enfants restée en arrière, de la randonnée souterraine des kidnappés jusqu'en Transylvanie ... Ce n'est qu'à partir du milieu du 16ème siècle que le récit traditionnel local s'enrichît de la légende itinérante du charmeur de rats. C'est la forme connue de la légende, telle que les frères Grimm la contèrent.

Le conte du joueur de flûte fut, et est encore, la cause de maintes réflexions. Des explications incluant la colonisation de l'est ont été souvent discutées ces derniers temps. L'enjôleur de rats aurait été en faît un recruteur cherchant à la charge d'un noble colonisateur des travailleurs pour l'est. Malgré tout, personne ne parvint jusqu'à present à éclairer les circonstances mystérieuses de cette tragédie. Ainsi, de nombreuses questions restent posées : Qui est le joueur de flûte ? A-t-il vraiment existé? Qui sont les enfants de Hameln? Où sont-ils allés?

Petite histoire de la ville

Vers 851 L'abbaye bénédictine de Fulda fonde un monastère à un vieux passage de la Weser, non loin d'une cité saxonne. Au 10ème siècle, il est transformé en collège de chanoines.

11ème siècle Le village rattaché au couvent se transforme lentement en ville.

Vers 1200 Hameln est mentionnée pour la 1ère fois en tant que ville et en obtient les droits. Un pont de pierre est construit sur la Weser.

1277 La ville se rattache volontairement au royaume des Guelfes (Welfen), ce qui sécurise les relations politiques pour 700 ans.

1284 La tradition veut que les enfants aient quitté Hameln le 26 juin 1284, origine historique de la légende.

1426 La situation avantageuse au bord de la Weser et près de routes suprarégionales favorise un développement propice. Hameln devient membre de la Hanse (jusqu'en 1572).

1540 Les citoyens adoptent les croyances réformistes.

1560-1620 Épanouissement économique de la ville, détenant un haut niveau d'indépendance. Les fameux bâtiments de style Renaissance de la Weser proviennent de cette période.

1618-1648 En 30 ans de guerre, la ville subit de multiples occupations et la peste fait de nombreuses victimes. Richesse et indépendance sont perdues. Expansion en tant que principale forteresse hanovrienne. Le cantonnement du militaire pèse sur la ville. Hameln a de ce temps 2.400 habitants, auxquels s'ajoutent près de 1.000 soldats.

1690 Les souverains domicilient les réfugiés huguenots de France à Hameln. Ceux-ci sont censés stimuler l'économie de la ville.

1734 Construction de la 1ère écluse permettant de franchir le «trou hamelin». Jusqu'à présent, il avait fallu décharger les bâteaux et les tirer à l'aide d'un treuil pour passer à travers ce fort courant.

1757 Durant la guerre de 7 ans, la ville est occupée en partie par les anglais et en partie par les français. La bataille de Hastenbeck a lieu près de Hameln.

1761-1784 Renforcement et modernisation du fort à l'aide de nombreux bastions. La «Gibraltar du nord» passe pour imprenable.

1803-1813 Pendant les guerres napoléoniennes, la ville est occupée en permanence. Le fort est démantelé en 1808 sur ordre de Napoléon.

1829-1832 1ère implantations d'industries papetière et textile, toutefois en dehors de la ville. L'immense terrain de l'ancienne forteresse n'est pas constructible.

1866-67 Hameln devient prussienne, après 700 ans de souveraineté hanovrienne ou guelfe. Ce sont les débuts de l'industrialisation et de la modernisation de la ville, comptant à cette époque plus de 6.000 habitants.

1872 La ligne ferroviaire Hanovre-Hameln-Altenbeken est mise en place, ce qui fait de Hameln un carrefour important.

1890 La construction d'une ville nouvelle en dehors de l'enceinte a commencé. De nouveaux secteurs se développent, comme la sidérurgie et les industries des tapis et des moulins.

Vers 1900 L'approvisionnement en eau est assuré et l'électrification voit ses débuts. Hameln compte 18.000 habitants.

1933 Une nouvelle écluse est ouverte.

1933-37 La «Deutsche Erntedankfest» (Fête d'actions de grâce pour les récoltes de l'empire allemand) a lieu 5 fois en présence d'Hitler sur la montagne Bückeberg. Le gigantesque spectacle au service de la manipulation des masses attire jusqu'à 1 million de visiteurs.

À partir de 1935 De nombreuses casernes sont construites dans le cadre du réarmement.

1939-1945 En 1939, la ville compte 31.683 habitants. Elle ne subit aucune attaque aérienne avant les derniers mois de la guerre, où les offensives sur la gare font de nombreuses victimes.

1945 Parce que la direction nazie a donné l'ordre de défendre Hameln, l'église du marché et la mairie sont détruites durant les derniers jours de guerre. Le paysage urbain reste cependant conservé dans son ensemble.

1945-50 Déportés et fugitifs font s'élever le nombre d'habitants à 50.000. Une extrême crise du logement pousse à la construction. De nombreuses entreprises sont créées.

1953 Ouverture de la salle des fêtes de la région (avec théâtre).

1962 Les jardins publics (Deisterallee) ouvrent leurs portes avec l'exposition horticole de Basse-Saxe.

1967 Le conseil municipal décide d'assainir le centre ville. Les plans d'origine prévoient la démolition de nombreux bâtiments.

1973 Hameln est intégrée à la région du Hameln-Pyrmont. Parallèlement, on rattache 12 communes des environs à la ville. La population se monte alors à 63.000 habitants.

1974 Une réorientation des plans d'assainissement du centre ville est atteinte grâce à une énorme participation citoyenne : pas d'assainissement général, mais la rénovation particulière de chaque bâtiment.

1975 La rue Osterstraße devient piétonne.

1984 Le 700ème anniversaire de la légende du joueur de flûte rencontre un écho mondial.

1986 Le «Rattenfänger-Literaturpreis» (prix littéraire du joueur de flûte) est offert pour la 1ère fois.

1993 L'achèvement de la réhabilitation du centre ville attire l'attention à l'échelle mondiale. La bibliothèque municipale emménage dans le monument industriel «Pfortmühle».

序文

ハーメルン － 「ねずみ捕り笛吹き男」、「ヴェーザールネサンスの宝石」、「ヴェーサーベルクラント地方の中心地」として広く知られている町！

まず最初に旧市街の魅力が挙げられる。旧市街では中世後期に建造されたプロポーションはそのまま保存されている。ゴシック建造物の他には、ルネサンス時代のファサード、さらにバロック様式、ユーゲントシュティールそして現代様式の建築を見ることができる。

旧市街には全ての観光名所がひしめき合っている。町の二本のメインストリート、ベッカー通りとオースター通りには、ヴェーザールネサンスの美しい石のファサードが刻み込まれている。隣の路地では、装飾が豊富に施された木組みの家が見える。さほど気に止まらない小道では、そのつつましい家々ともに、とりわけ活発で絵のように美しい風景を見ることができる。

ドイツには、ある有名な伝説をこれほど強く思い起こさせる町は他にはない。その真相はいつまでも謎めいたままであろうねずみ捕り笛吹き男の魅力は、おそらく謎のままでありつづけるのだろう。ハーメルンを訪れる者は、その町の景色の中で、1284 年にハーメルンの子供たちが失踪した時の目撃者を見つけるのである。

写真説明

2 クルートからのハーメルンの眺め

4 マルクト教会と結婚式の家

5 オースター通り

6 旧市街の航空写真

7 マルクト教会と結婚式の家

8 オースター通りはハーメルンで最も広い通り

8 下 馬のマルクトの噴水

9 木組みの家 オースター通り 17-19

9 下 中心地にあるルネサンス、ビーダーマイヤー、グリュンダーツァイト、そして現代様式の建築

10 ベッカー通り

11 オースター通りにある高さ 11 メートルのクリスマスピラミッド

12 左 ヴェンデン通りはベッカー通りとヴェーザー川をつなぐ

12 クプァーシュミーデ通りはなだらかな弧を描いて平行してヴェーザー川へ通っている

13 アルテマルクト通りは町で最も古い通りのひとつに数えられる。西側の眺め（上）東側の眺め（下）

14 大きなホーフ通りは城壁通りのひとつに数えられている。

15 西側ではアルテマルクト通りが、旧市街で最も魅力的でまとまりのある一角に広がっている。

16 ザンクト・ボニファティウス大聖堂

17 左 エリザベス礼拝堂は 1250 年に建てられた。

17 右 豊かに形作られた大聖堂の正面玄関

18 左 東側の眺めは教会の身廊を通って高い聖歌隊席にいたる。

18 上 1270/80 年当時からのサクラメントハウス。

18 下 11 世紀に建てられたロマネスク様式の地下聖堂。

19 左 伝説によると、グラフ・ベルンハルトとその夫人が 712 年にこの教会を建てた。

19 右 三日月の上のマドンナ、1410 年の砂岩のレリーフ。

20 上 エルサレム司教館は町で最も古い木組みの建造物。

20 下 バーベン通り 9 番地のローマ教皇庁ヴァルトハウゼン。

21 この中世のマルクト教会は 1945 年にほぼ完全に破壊され、1957-59 年に再建された。

22 左 このベッカー通り 43 番地の質素な家は町で最も古い家のひとつ。1300 年建てられたと推測される。

22 右 ハスペルマト塔は粉ひき塔のとなりにある、唯一保存された町の塔。

23 ベッカー通り 12 番地にあるこの大きな石の家は 14 世紀に建てられた。

24 1500 年に設置された角の家 プフェアデ広場 10 番地。

25 ベッカー通り 21 番地にある 3 階建ての角の家は推定 16 世紀初頭に建てられた。

26 クプファーシュミーデ通り 13 番地 /1560 年のヴェンデン通りにある角の家には豊かに彫刻が施されたファサードがある。

27 左 クプファーシュミーデ通り 13 番地にある角の家の増築部分

27 右 ノイエマルクト通り 23 番地の家は、その装飾の中で魅力あふれる活気と無秩序を示している。

オースター通り 8 番地にある領主の修道院はハーメルンで最も豪華な木組みの家。1556-1558 年に建てられた。

29 左 この家は通りへとつづく雨どいの屋根とともに建っている。

29 高価な飾りとともに備え付けられた足台がこの家を独特なものにしている。

30 ベッカー通りのねずみの居酒屋はハーメルンのルネサンス建築の最も初期の一例。

31 上 オースター通り 12 番地のこの家の切り妻壁は上に置かれた玉とオベリスクを示している。

32 その色彩豊かなファサードと独特な飾りによって、ライスト館は当時の他の建造物と比べて明らかに際立っている。現在ここにはハーメルン市の博物館がある。

33 全てのハーメルンの民家の中で最も豪華な、オースター通り 28 番地のねずみ捕り笛吹き男の家は、1602/03 年に建てられた。

34 1607 年にできたデンプター館の 1 階と 2 階は石で、3 階と切り妻壁は木組みでつくられた。

35 結婚式の家は 1617 年、30 年戦争勃発の直前に建てられた。2005 年の夏に、ルネサンス時代における世界史の大変革の様子を見ることができる「体験世界ルネサンス」が開設される。

36 フィッシュプフォルテン通り 20 番地の家に面した、1550 年に建てられたアダムとエヴァの石像。

37 ヴェンデン通り 8 番地のルッキングシェハウスは 1638 年に建てられた。

38 上 1700 年に設置されたプフェアデ広場 1 番地のバロック建築は、1885 からサークル施設として貢献している。

38 下 オースター通り 25 番地のガルニソン教会は、1712-14 年にハーメルン要塞の兵隊のために建てられた。

39 広場 4 番地の国家司令官の家は、1680 年以来、ハーメルンの 1550 年における要塞司令官の居住地だった。

40 この門の製粉所は 1893 年に建てられた。この工業文化遺産は 1990 年に市営の図書館に建てかえられた。

41 ベッカー通り 38/39 の家はハーメルンにおけるユーゲントシュティールの住居と商店建築の一例。

42 子供たちの失踪と 1592 年に起きたねずみの全滅を描いた、保存された状態で残された最も古い風景画。

43 上 オースター通りにあるねずみ捕り笛吹き男の家の表札。

43 下 ねずみ捕り笛吹き男の銅像は市庁舎広場に立っている。

46 ねずみ捕り笛吹き男の野外劇場では、5 月から 9 月まで毎週日曜日午後 12 時に、結婚式の家のテラスで、ねずみ捕り笛吹き男の伝説が演じられる。その後で俳優たちが移動する。

ミュージカル「ラッツ」は、5 月から 9 月まで毎週水曜日の午後 4 時 30 分から、結婚式の家のテラスで演じられる。

48 上 ヴェーザー川、プフォルトミューレと古い水門

48 下 大聖堂の塔から北側を眺めると背景にヴェーザー川が見える。

49 左 ヴェーザー川沿岸の彫像「ヴェレンファーネン」

49 右 ハーメルン南側のヴェーザー川。

50 上 ハーメルン市民庭園

50 下 春のシュヴァイネベルクに咲くメルツェンベッヒャーブリューテ

51 上 ハーメルンのそばのオーアベルク公園

51 下 オーアベルクのふもとにあるヴェーザー川の汽船

52 ヴェーザーベルクランド地方：リューレのそばのヴェーザー川のカーブ

53 945 年に建てられたフィッシュベック修道院

54 ヘーメルシェンブルク城はヴェザールネサンス様式で最も豪華な文化遺産として見なされている。

55 シュヴェッバー城は 1565 年から 1604 年の間ミュンヒハウゼン家のために建てられた。

ねずみ捕り笛吹き男の伝説

ねずみ捕り笛吹き男の物語は、もともとは宿命的な災いをその中心に据えた暗い不幸の伝説である。この町が子供たちの失踪に見舞われたのは、13 世紀だったに違いない。詳しい事は分かっていない。

この事件は、この町と住民の関心を強く引き付けてきたに違いない。子供たちを失うという両親の不安から、この喪失について繰り返し語られるようになった。この出来事は伝説になり、変容し、また形作られていった。

ねずみ捕り笛吹き男の題材との関連は初めからではなく、それよりもさらに古い、町の子供たちの失踪に関する報道とともに関連付けられていった。最も古い報告や碑文にはそのことは記されていない。

「リューネブルクの写本」に、子供たちの失踪についての最古の報道が書かれている。（1430 年から 1450 年の間）要約：「1284 年、ある三十歳くらいの身なりのいい若い男がハーメルンの町にやってきた。男は町中走り回り、珍しい銀の笛を吹いた。その笛を聞いた全ての少年たち（約百三十人）は、町の外へその男を追っていった。子供たちはいなくなり、二度と発見されることはなかった。」

このような形で、ハーメルンの子供たちの失踪に関する伝説的な叙述はおよそ 100 年間伝承された。その一例が、1603 年にオースター通りとブンゲローゼン通りの角に建てられた、ねずみ捕り笛吹き男の家に面した木製の碑文である。この碑文は韻を踏んだ形で作成されている。ブンゲローゼン通りを通り抜けて、ねずみ捕り笛吹き男は子供たちと失踪したらしい。そのためそこでは音楽を鳴らすことは許されておらず、太鼓（低地ドイツ語でブンゲ）を叩くことは一度も許されてなかった。

ある笛吹き男によるハーメルン子供たちの実行についてのこの伝説は、その発展途上で付帯条項と結びついている。たとえば救助され、そして大きな災難の目撃者になる、そのようなある口の不自由な子供、ある目の不自由な子供や、発達が遅れた下働きの少女、または誘拐された者がするジーベンビュルゲンへの地中の旅とである。十六世紀の牛ばごろ、子供たちの失踪についての伝説は、ねずみ捕り笛吹き男の伝承によって広まった。グリム兄弟が伝えたように、これがこの伝説の非常に有名な骨格である。ねずみ捕り笛吹き男の伝説は思案する様なきっかけを与えてきたし、今も与えている。最近では東側の植民地化の問題との兼ね合いで、最も議論されてきた。ねずみ捕り笛吹き男は実は、東側のために貴族の入植者の仕事を探す広告マンだったという人もいる。しかし今まで、この悲劇の秘密めいた背景を明らかにすることはできていない。これらの疑問が謎のままである：ねずみ捕り笛吹き男とは誰なのか。彼は本当に存在したのか。ハーメルンの子供たちは誰なのか。

彼らはどこへいったのか。

ハーメルン市小年表

851 年 ヴェーザー川の古い橋に面したザクセンの入植地から遠くないところで、ベネディクティナー大修道院フルダが神学校を創設する。10世紀にこの神学校は男性合唱団の修道院に変わる。

11 世紀 ある付設された取引所から、町が発展する。

1200 年 ハーメルンが、初めて文書に基づいて市として見なされ、都市権を得る。ヴェーザー川に石橋が架かる。

1277 年 市は、自ら 700 年間を確保していたヴェルフェンの支配下に治まる。

1284 年 言い伝えによると、1284 年 6 月 26 日にハーメルンの子供たちの失踪事件が起こったらしい。これはねずみ捕り笛吹き男の伝説の基礎である。

1426 年 恵まれた環境と地域の枠を超えた道路の基礎が、恵まれた開発によって築かれる。ハーメルンがハンザ同盟に加盟される。（1572 年まで）

1540 年 市民は宗教改革の信仰を引き受ける。

1560 年から
1620 年 この時期、政府に対して独立していた市の、最盛期にあった経済が下降する。この時ヴェーザールネサンス様式の有名な建造物が建てられる。

1618 年から
1648 年 30 年戦争の最中、市は占領軍による被害を数度にわたって入れ替わり立ち代り被らなければならない。ペスト多くの犠牲者を出す。資源と政治的独立性が失われる。

1662 年から
1670 年まで ハノーファーの主要な砦の撤去。軍隊の宿営が重圧として市にのしかかる。ハーメルン市はこの時、約 2400 人の住民、そして約 1000 人の兵隊を有する。

1690 年 州政府によって、市の経済生活を活性化させるための、フランス人信仰亡命者（フランスのカルヴァン派の新教徒）が入植させられる。

1734 年 悪名高い「ハーメルンの穴」の攻略のため、最初の水門の建設。それまで、ヴェーザー川の船の積荷をドロしし、巻き上げ機で強い水流を通って作動させることが必要だった。

1757 年 7 年戦争の最中、一部はフランスの、一部はイギリスの占領軍が市に駐留する。ハーメルン付近ハステンベックで戦闘。

1761 年から
1784 年 砦とたくさんの稜ほの撤去と現代化。「北のジブラルタル」は難攻不落として見なされる。

1803 年から
1810 年 ナポレオン戦争の間、市は入れ替わり立ち代り所有されるナポレオンの命令で 1808 年に砦が研磨される。

1829 年から
1832年 最初の紙や織物工業の入植。ただし郊外にて。当時砦があった敷地には、建物を建てることはできない。

1866/67 年 ハーメルン市の支配権が、約 700 年間のヴェルフェンもしくはハノーファーからプロイセンに。これで市の工業化と現代化が始まる。市は当時 6000 人の人口を有していた。

1872 年 ハノーファー、ハーメルン、アルテンベッケン間の鉄道開通。ハーメルンは重要な交差点に発展する。

1890 年 森の外に新市街の建設が始まる。鉄、絨毯、製粉産業とともに重要な商工業が発展する。

1900 年 家庭での水道が供給され、発電が開始される。ハーメルンの人口 18000 人。

1933 年 新しいヴェーザー川の水門が開設される。

1933 年から
1937 年 ヒットラー出席のもと、五度にわたり付近のビュッケベルクで「ドイツ収穫祭」が行われる。大量な宣伝のサービスにおける大騒動は全ドイツから来た百万人の訪問者を引き寄せる。

1935 年から
1939 年から 再度の軍備拡張において大規模な兵舎が建てられる。

1945 年 1939 年のハーメルンの人口 31,683 人。市は第二次世界大戦で空襲の被害を受けずにすむ。戦時中の最後の数ヶ月間、駅を攻撃され多数の犠牲者が出る。

1945 年 ナチス司令部が、ハーメルンを防衛するという命令を通達したので、最後の数日間特にマルクト教会と新市庁舎が破壊される。町の写真はそれでも全て保管されている。

1945 年から
1950 年 亡命者と難民により人口は 50,000 人まで増え続ける。極度な住居の困窮により、広大な住居施設が急務となる。多くの企業がハーメルンに新しく興る。

1953 年 ヴェーザーベルクランド・フェストハレ（劇場付き）が開館される。

1962 年 ダイスター通りの市民庭園が、ニーダーザクセンの庭園展示会とともに開園される。

1967 年 市議会が旧市街を再開発することを決定する。初めの計画は多くの建物の取り壊しを見込んでいる。

1973 年 ハーメルンが独立した市として、ハーメルン・ブルモントに組み入れられる。同時に十二の周辺地方公共団体が分類される。人口 63,000 人にのぼる。

1974 年 市民の大きな協力のもと、旧市街の再開発を考え直すことが強制される：平野の再開発から脱却、そして公衆用施設

1975 年 オースター通りが歩行者専用道路になる。

1984 年 ねずみ捕り笛吹き男の七百周年記念の缶が世界中で反響を得る。

1986 年 ねずみ捕り笛吹き男・文学賞が初めて与えられる。

1993 年 旧市街の再開発に関する、世界規模で守られる条約が締結される。市営図書館が保護された工業文化財プフォルトミューレのところにある新しい居住地に移り変わる。